河出文庫

世界怪談名作集
信号手・貸家ほか五篇

岡本綺堂 編訳

河出書房新社

世界怪談名作集　信号手・貸家ほか五篇 ◉ 目次

世界怪談名作集　北極星号の船長ほか九篇

◉目次

序

外国にも怪談は非常に多い。古今の作家、大抵は怪談を書いている。そのうちから最も優れたるものを選ぶというのはすこぶる困難な仕事であるので、ここでは世すでに定評ある名家の作品のみを紹介することにした。したがって、その多数がクラシックに傾いたのはまことに已(や)む得ない結果であると思ってもらいたい。

怪談と言っても、いわゆる幽霊物語(ゴースト・ストーリー)ばかりでは単調に陥る嫌いがあるので、たとい幽霊は出現しないでも、その事実の怪奇なるものは採録することにした。たとえば、ホーソーンの作には「ドクトル・ハリスの幽霊」があるにもかかわらず、ここには「ラッパチーニの娘」を採録した類である。ストックトンの「幽霊の移転」のような、ユーモラスの物を加えたのも、やはり単調を救うの意にほかならない。

アンドレーフの作のごときはすこぶる芸術味の豊かなもので、大衆向きにはどうあろうかと少しく躊躇したのであるが、普通の怪談とはその選を異にし、死から一旦(いったん)よみがえったラザルスという男を象徴にして、「死」に対する人間の恐怖を力強く描いたもので、こういう物も一つぐらいは読んで貰いたいという心から掲載することにしたのである。

アラン・ポーの作品――殊にかの「黒猫」のごときは、当然ここに編入すべきであったが、この全集には別にポーの傑作集が出ているので、遺憾ながら省くことにして、その代りに、ポーの二代目ともいうべきビヤースの「妖物」を掲載した。人にあらず、獣にあらず、形もなく、影もなく、わが国のいわゆる「鎌いたち」に似て非なる一種の妖物が、異常の力をもって人間を粉砕する怪奇の物語は、実に戦慄に値すると言ってよかろう。

支那も怪談の本場であるから、いわゆる「志怪」の書なるものは実に枚挙に暇あらず、これもその選択にすこぶる窮したのであるが、紙数の都合で「牡丹燈記」を選ぶことにした。これは「剪燈新話」中の一節で、誰も知っている「牡丹燈籠」の怪談の原作である。

ここに編入されたものは、外国の怪談十六種、支那の怪談一種、その原著者はいずれも古今著名の人びとのみで、いちいちあらためて紹介するまでもあるまいと思われるので、単にその時代と出生地のみを記録するにとどめて置いた。

昭和四年初夏　　訳者

世界怪談名作集

信号手・貸家ほか五篇

貸家

リットン

リットン（正しくいえば）Edward George Earle Bulwer-Lytton

一八〇三年五月二十五日、英国ロンドンに生まる。小説家、戯曲家、政治家。普通にリットン卿という。一八七三年一月十八日、トルクェーに逝く。

一

わたしの友達――著述家で哲学者である男が、ある日、冗談と真面目と半分まじりな調子で、わたしに話した。

「われわれは最近思いもつかないことに出逢ったよ。ロンドンのまんなかに化け物屋敷を見つけたぜ」

「ほんとうか。何が出る。……幽霊か」

「さあ、たしかな返事はできないが、僕の知っているのはまずこれだけのことだ。六週間以前に、家内と僕とが二人連れで、家具付きのアパートメントをさがしに出て、ある閑静な町をとおると、窓に家具付き貸間という札が貼ってある家を見つけたのだ。場所もわれわれに適当であると思ったので、はいってみると部屋も気に入った。そこでまず一週間の約束で借りる約束をしたのだが……。三日目に立ちのいてしまった。誰がどう言ったって、家内はもうその家にいるのは忌だという。それも無理はないのだ」

「君は何か見たのか」

「別にいろいろの不思議を見たり聞いたりしたわけでもないのだが、家具のないある部屋の前を通ると、なんとも説明することの出来ない一種の凄気にうたれるのだ。但し、その部屋で何も見えたのではなし、聞こえたのでもないが……。そこで、僕は四日目の朝、その家の番をしている女を呼んで、あの部屋は何分われわれに適当しないから、約束の一週間の終わるまでここにいることは出来ないと言い聞かせると、女は平気でこう言うのだ。

〈わたしはその訳を知っています。それでもあなたがたはほかの人たちよりも長くいたほうです。ふた晩辛抱する人さえ少ないくらいで、三晩泊まっていたのはあなたがたが初めてです。それも恐らくあの連中があなたがたに好意を持ったせいでしょう〉

なんだかおかしな返事だから、僕は笑いながら〈あの連中とはなんだ〉と訊いてみると、女はまたこう言うのだ。

〈なんだか知りませんが、ここの家に執り着いている者です。わたしは遠い昔からあの連中を識っています。その頃わたしは奉公人ではなしに、ここの家に住んでいたことがあるのです。あの連中はいずれ私を殺すだろうと思っていますが、そんなことは構いません。

わたしはこの通りの年寄りですから、どの道やがて死ぬからだです。死ねばあの連中と一緒になって、やはりこの家に住んでいることが出来るのです〉

　いや、どうも驚いたね。女はそんなことを実に怖ろしいほど平気で話しているのだ。僕は薄気味が悪くなって、もう何も話す元気がなくなったので、早そうに立ち去ってしまった。もちろん約束通りに一週間分の間代を払って来たが、そのくらいのことで逃げ出せれば廉いものさ」

「不思議だね」と、わたしは言った。「そう聞くと、僕はぜひその化け物屋敷に寝てみたいよ。君が不名誉の退却をしたという、その家のありかを後生だから教えてくれないか」

　友達はそのありかを教えてくれた。彼に別れたのち、わたしはまっすぐにかの化け物屋敷だという家へたずねて行くと、その家はオックスフォード・ストリートの北側で、陰気ではあるが家並の悪くない抜け道にあったが、家はまったく閉め切って、窓に貸間の札もみえない。戸を叩いても返事がない。仕方がなしに引っ返そうとすると、となりの空地にビールの配達が白い金属の鑵をあつめていて、わたしのほうを見かえりながら声をかけた。

「あなたはそこの家で誰かをお尋ねなさるんですか」

「むむ。貸家があるということを聞いたので……」

「貸家ですか。そこはJさんが雇い婆さんに一週間一ポンドずつやって、窓の開け閉てをさせていたんですがね。もういけませんよ」

「いけない。なぜだね」

「その家は何かに祟られているんですよ。雇い婆さんは眼を大きくあいたままで、寝床のなかに死んでいたんです。世間の評判じゃあ、化け物に絞め殺されたんだと言いますが……」

「ふむう。そのJさんというのは、この家の持ち主かね」

「そうです」

「どこに住んでいるね」

「G町です」と、配達はその番地をも教えてくれた。

わたしは彼にいくらかの心付けをやって、それから教えられた所へたずねて行くと、主人のJ氏は都合よく在宅であった。J氏はもう初老を過ぎた人で、理智に富んでいるらしい風貌と、人好きのするような態度をそなえていた。

正直に自分の姓名と職業とを明かした上で、わたしはかの貸間の家に何かの祟りがあるらしく思われるということを話した。そうして、わたしはぜひその家を探険してみたいから、ひと晩でもいいからどうぞ貸してくれまいか。それを承知してくれれば、お望み通りの金を払うと言った。

　J氏はそれに対して、非常に丁寧に答えた。

「よろしゅうございます。あなたのご用の済むまでお貸し申しましょう。家賃などはどうでもかまいません。あの婆さんは宿(やど)なしの貧乏人で養育院にいたのを、わたしが引き取って来たのです。あの婆さんは子供の時にわたしの家族のある者と知り合いであったと言いますし、またその以前は都合がよくって、わたしの叔父からあの家を借りて住んでいたこともあるというので、それらの関係からわたしが引き取って番人に雇っておいたのですが、可哀そうに三週間前に死んでしまいました。あの婆さんは高等の教育もあり、気性もしっかりした女で、わたしが今まで連れて来た番人のうちで無事にあの家に踏みとどまっていたのは、あの女ばかりでした。それが今度死んで、しかも突然に死んだものですから、検視が来るなどという騒ぎになって、近所でもいろいろの忌(いや)な噂を立てます。したがって、そのかわりの番人を見つけるのも困難ですし、もちろん借り手もあるまいと思いますから、今後一年間はその人がすべての税金さえ納めてくれればいいという約束で、無代(ただ)で誰にでも貸そうと考えているのです」

「いったい、いつごろからそんな評判が立つようになったのです」

「それは確かには申されませんが、もうよほど以前からのことです。唯今(ただいま)お話し申した婆さんが借りていた時、すなわち三十年前から四十年前のあいだだそうですが、すでにそのころから怪しいことがあったといいます。わたしが覚えてからでも、あの家に三日とつづけて住んでいた人はありません。その怪談はいろいろですから、いちいちにそのお話をすることは出来ませんし、また、そのお話をしてあなたに何かの予覚をあたえるよりも、あなた自身があの家へ入り込んで直接にご判断なさるほうがよろしかろうと思います。ただ、なにかしら見えるかもしれない、聞こえるかもしれないというお覚悟で、あなたがご随意に警戒をなされればよろしいのです」

「あなたはあの家に、一夜を明かそうというような好奇心をお持ちになったことはありませんか」

「一夜を明かしたことはありませんが、真っ昼間に三時間ほど、たった一人であの家のなかにいたことがあります。わたしの好奇心は満足されませんでしたが、その好奇心も消滅して、ふたたび経験を新たにする気も出なくなりました。と申したら、なぜ十分に探究しないかとおっしゃるかもしれませんが、それにはまた訳(わけ)があるのです。そこで、あなたもこの一件について非常に興味を持ち、また、あなたの神経が非常に強いというのであれば格別、さもなければあの家で一夜を明かすということは、まあ、お考えになったほうがよろしくはないかと思います」

「いや、わたしは非常の興味を持っているのです」と、私は言った。「臆病者はともかくも、わたしの神経はいかなる危険にも馴れています。化け物屋敷でも驚きません」

J氏も深くは言わないで、用箪笥から鍵をとり出して私に渡してくれた。その腹蔵のない態度にわたしは衷心から感謝し、また、わたしの希望に対して紳士的の許可をあたえてくれたことをも感謝して、わたしは自分の望むものを手に入れることになった。そうなると気が急くので、わたしはひとまず我が家へ戻るやいなや、日ごろ自分が信用しているFという雇い人を呼んだ。彼は年も若いし、快活で、物を恐れぬ性質で、わたしの知っている中では最も迷信的の偏見などを持っていない人間であった。

「おい、おまえも覚えているだろう」と、わたしは言った。「ドイツにいるときに、古い城のなかへ首のない化け物が出るというので、その幽霊を見つけに行ったところが、何事もないので失望したことがある。ところが、今度はお望み通り、ロンドンの市中で確かに化け物の出る家のあることを聞いたのだ。おれは今夜そこへ泊まりに行くつもりだ。おれの聞いたところによると、そこの家には確かに何かが見えるか聞こえるかするのだ。その何かがすこぶる怖ろしい物らしい。そこで、おまえが一緒に行ってくれれば、何事が起こっても非常に気丈夫だと思うのだが、どうだろう」

「よろしい、旦那。わたくしをお連れください」と、彼は歯をむき出して愉快そうに笑った。

「では、ここにその家の鍵があある。これがその所在地だ。これを持ってすぐに行って、おまえのいいと思う部屋へおれの寝床を用意しておいてくれ。それから幾週間も空家になっていたのだから、ストーブの火をよくおこしてくれ。寝床へも空気を入れるようにしてくれ。もちろん、そこに蠟燭や焚き物があるかどうだか見てくれ。おれの短銃と匕首も持って行ってくれ。おれの武器はそれでたくさんだ。おまえも同じように武装して行け。たとい一ダースの幽霊が出て来たからといって、それと勝負をすることが出来ないようでは、英国人のつらよごしだぞ」

しかし、私は非常に差し迫った仕事をかかえているので、その日の残りの時間は専らその仕事についやさなければならなかった。わたしは自分の名誉を賭けたる今夜の冒険について、あまり多く考える暇を持たないほどに忙しく働いた。わたしは甚だ遅くなってから、ただひとりで夕飯を食った。食うあいだに何か読むのが私の習慣であるので、わたしはマコーレーの論文の一冊を取り出した。そうして、今夜はこの書物をたずさえて行こうと思った。マコーレーの作は、その文章も健全であり、その主題も実生活に触れているので、今夜のような場合には、迷信的空想に対する一種の解毒剤の役を勤めるであろうと考えたからである。

午後九時半頃に、かの書物をポケットへ押し込んで、わたしは化け物屋敷の方へぶらぶらと歩いて行った。わたしはほかに一匹の犬を連れていた。それは敏捷で、大胆で、勇猛なるブルテリア種の犬で、鼠をさがすために薄気味のわるい路の隅や、暗い小径（こみち）などを夜歩きするのが大好きであった。かれは幽霊狩りなどには最も適当の犬であった。

時は夏であったが、身にしむように冷えびえする夜で、空はやや暗く曇っていた。それでも月は出ているのである。たといその光りが弱く曇っていても、やはり月には相違ないのであるから、夜半（よなか）を過ぎて雲が散れば、明かるくなるであろうと思われた。

かの家にゆき着いて戸をたたくと、わたしの雇い人は愉快らしい微笑を含んで主人を迎えた。

「支度は万事できています。すこぶる上等です」

それを聞いて、わたしはむしろ失望した。

「何か注意すべきようなことを、見も聞きもしなかったか」

「なんだか変な音を聞きましたよ」

「どんなことだ、どんなことだ」

「わたくしのうしろをぱたぱた通るような跫音（あしおと）を聞きました。それから、わたくしの耳のそばで何かささやくような声が一度か二度……。そのほかには何事もありませんでした」

「怖（こわ）くなかったか」

「ちっとも……」

こう言う彼の大胆な顔をみて、何事が起こっても彼はわたしを見捨てて逃げるような男でないということが、いよいよ確かめられた。

わたしたちは広間へ通った。往来にむかった窓はしまっている。わたしの注意は今やかの犬の方へ向けられたのである。犬もはじめのうちは非常に威勢よく駈け廻っていたが、やがてドアの方へしりごみして、しきりに外へ出ようとして引っ掻いたり、泣くような声をして唸(うな)ったりしているので、私はしずかにその頭をたたいたりして勇気をつけてやると、犬もようよう落ち着いたらしく、私とFのあとについて来たが、いつもは見識(みし)らない場所へ来るとまっさきに立って駈け出すにもかかわらず、今夜はわたしの靴の踵(かかと)にこすりついて来るのであった。

私たちはまず地下室や台所を見まわった。そうして、穴蔵に二、三本の葡萄酒の罎(びん)がころがっているのを見つけた。その罎には蜘蛛(くも)の巣が一面にかかっていて、多年そのままにしてあったことが明らかに察せられると同時に、ここに棲む幽霊が酒好きでないことも確かにわかったが、そのほかには別に私たちの興味をひくような物も発見されなかった。外には薄暗い小さな裏庭があって、高い塀にかこまれている。この庭の敷石はひどくしめっているので、その湿気とほこりと煤煙(ばいえん)とのために、わたしたちが歩くたびに薄い足跡が残った。

わたしは今や初めて、この不思議なる借家において第一の不思議を見たのである。わたしはあたかも自分の前に一つの足跡を見つけたので、急に立ちどまってFに指さして注意した。一つの足跡がまたたちまち二つになったのを、わたしたちふたりは同時に見た。ふたりはあわててその場所を検査すると、わたしの方へむかって来たその足跡はすこぶる小さく、それは子供の足であった。その印象はすこぶる薄いもので、その形を明らかに判断するのは困難であったが、それが跣足(はだし)の跡であるということは私たちにも認められた。

この現象は私たちが向うの塀にゆき着いたときに消えてしまって、帰る時にはそれを繰り返すようなこともなかった。階段を昇って二階へ出ると、そこには食堂と小さい控室がある。またそのうしろには更に小さい部屋がある。この第三の部屋は下男の居間であったらしい。それから座敷へ通ると、ここは新しくて綺麗であった。そこへはいって、わたしは肘かけ椅子に倚(よ)ると、Fは蠟燭立てをテーブルの上に置いた。わたしにドアをしめろと言いつけられて、彼が振りむいて行ったときに、わたしの正面にある一脚の椅子が急速に、しかもなんの音もせずに壁の方から動き出して、わたしの方から一ヤードほどの所へ来て、にわかに向きを変えて止まった。

「ははあ、これはテーブル廻しよりもおもしろいな」と、わたしは半分笑いながら言った。そうして、わたしがほんとうに笑い出したときに、わたしの犬はその頭をあとへひいて吠えた。

Ｆはドアをしめて戻って来たが、椅子の一件には気がつかないらしく、吠える犬をしきりに鎮めていた。わたしはいつまでもかの椅子を見つめていると、そこに青白い靄のようなものが現われた。その輪郭は人間の形のようであるが、わたしは自分の眼を疑うほどにきわめて朦朧たるものであった。犬はもうおとなしくなっていた。

「その椅子を片付けてくれ。むこうの壁の方へ戻して置いてくれ」と、わたしは言った。

Ｆはその通りにしたが、急に振りむいて言った。

「あなたですか。そんなことをしたのは……」

「わたしが……。何をしたというのだ」

「でも、何かがわたくしをぶちました。肩のところを強くぶちました。ちょうどここの所を……」

「わたしではない。しかし、おれたちの前には魔術師どもがいるからな。その手妻はまだ見つけ出さないが、あいつらがおれたちをおどかす前に、こっちがあいつらを取っつかまえてやるぞ」

しかし、私たちはこの座敷に長居することはできなかった。実際どの部屋も湿っぽくて寒いので、わたしは二階の火のある所へ行きたくなったのである。私たちは警戒のために座敷のドアに錠をおろして出た。今まで見まわった下の部屋もみなそうして来たのであった。

Fがわたしのためにえらんでおいてくれた寝室は、二階じゅうでは最もよい部屋で、往来にむかって二つの窓を持っている大きい一室であった。規則正しい四脚の寝台が火にむかって据えられて、ストーブの火は美しくさかんに燃えていた。その寝台と窓とのあいだの壁の左寄りにドアがあって、そこからFの居間になっている部屋へ通ずるようになっていた。

次にソファー・ベッドの付いている小さい部屋があって、それは階段の昇り場になんの交通もなく、わたしの寝室に通ずるただ一つのドアがあるだけであった。

寝室の火のそばには、衣裳戸棚が壁とおなじ平面に立っていて、それには錠をおろさずに、にぶい鳶色の紙をもっておおわれていた。試みにその戸棚をあらためたが、そこには女の着物をかける掛け釘があるばかりで、ほかには何物もなかった。さらに壁を叩いてみたが、それは確かに固形体で、外は建物の壁になっていた。

これでまず家じゅうの見分を終わって、わたしはしばらく火に暖まりながらシガーをくゆらした。この時まで私のそばについていたFは、さらにわたしの探査を十分ならしめるために出て行くと、昇り口の部屋のドアが堅くしまっていた。

「旦那」と、彼は驚いたように言った。「わたくしはこのドアに錠をおろした覚えはないのです。このドアは内から錠をおろすことは出来ないようになっているのですから……」

その言葉のまだ終わらないうちに、そのドアは誰も手を触れないにもかかわらず、また自然にしずかにあいたので、私たちはしばらく黙って眼を見あわせた。化け物ではない、何か人間の働きがここで発見されるであろうという考えが、同時に二人の胸に浮かんだので、わたしはまずその部屋へ駈け込むと、Fもつづいた。

そこは家具もない、なんの装飾もない、小さい部屋で、少しばかりの空き箱と籠のたぐいが片隅にころがっているばかりであった。小さい窓の鎧戸はとじられて、火を焚くところもなく、私たちが今はいって来た入り口のほかには、ドアもなかった。床には敷物もなく、その床も非常に古くむしばまれて、そこにもここにも手入れをした継ぎ木の跡が白くみえた。しかもそこに生きているらしい物はなんにも見えないばかりか、生きている物の隠れているような場所も見いだされなかった。

私たちが突っ立って、そこらを見まわしているうちに、いったんあいたドアはまたしずかにしまった。二人はここに閉じこめられてしまったのである。

二

私はここに初めて一種の言い知れない恐怖のきざして来るのを覚えたが、Fはそうではなかった。

「われわれを罠に掛けようなどとは駄目なことです。こんな薄っぺらなドアなどは、わたしの足で一度蹴ればすぐにこわれます」

「おまえの手であくかどうだか、まず試してみろ」と、わたしも勇気を振るい起こして言った。「その間におれは鎧戸をあけて、外に何があるか見とどけるから」

わたしは鎧戸の貫木をはずすと、窓は前にいった裏庭にむかっているが、そこには張り出しも何もないので、切っ立てになっている壁を降りる便宜もなく、庭の敷石の上へ落ちるまでのあいだに足がかりとするような物は見あたらなかった。

Fはしばらくドアをあけようと試みていたが、それがどうにもならないので、わたしの方へ振りむいて、もうこの上は暴力を用いてもいいかと聞いた。

彼が迷信的の恐怖に打ち克って、こういう非常の場合にも沈着で快活であることは、実にあっぱれとも言うべきで、わたしはいろいろの意味において、いい味方を連れて来たことを祝さなければならなかった。そこで、わたしは喜んで彼の申しいでを許可したが、いかに彼が勇者であってもその力は弱いものと見えて、どんなに蹴ってもドアはびくともしなかった。

彼はしまいには息が切れて、蹴ることをあきらめたので、わたしが立ち代ってむかったが、やはりなんの効もなかった。それをやめると、ふたたび一種の恐怖がわたしの胸にきざして来たが、今度はそれが以前よりもぞっとするような、根強いものであった。

そのとき私は、ささくれ立った床(ゆか)の裂け目から何だか奇怪な物凄いような煙りが立ち昇って来て、人間には有害でありそうな毒気が次第に充満するのを見たかと思うと、ドアはさながら我が意思をもって働くように、またもやしずかにあいたので、監禁を赦(ゆる)された二人は早(そう)そうに階段のあがり場へ逃げ出した。

一つの大きい青ざめた光り――人間の形ぐらいの大きさであるが、形もなくて、ただふわふわしているのである。それが私たちの方へ動いて来て、あがり場から屋根裏の部屋へつづいている階段を昇ってゆくので、私はその光りを追って行った。Fもつづいた。光りは階段の右にある小さい部屋にはいったが、その入り口のドアはあいていたので、私もすぐ跡(あと)からはいると、その光りはうず巻いて、小さい玉になって、非常に明かるく、あたかも生けるがごとくに輝いて、部屋の隅にある寝台の上にとどまっていたが、やがて顫(ふる)えるように消えてしまったので、私たちはすぐにその寝台をあらためると、それは奉公人などの住む屋根裏の部屋には珍らしくない半天蓋の寝台であった。

寝台のそばに立っている抽斗戸棚の上には絹の古いハンカチーフがあって、その綻びを縫いかけの針が残っていた。ハンカチーフはほこりだらけになっていたが、それは恐らく先日ここで死んだという婆さんの物で、婆さんはここを自分の寝床にしていたのであろう。

わたしは多大の好奇心をもって抽斗をいちいちあけてみると、そのなかには女の着物の切れっぱしと二通の手紙があって、手紙には色のさめた細い黄いろいリボンをまきつけて結んであった。わたしは勝手にその手紙を取りあげて自分の物にしたが、ほかには何も注意をひくような物は発見されなかった。

かの光りは再び現われなかったが、二人が引っ返してここを出るときに、ちょうどわたしたちの前にあたって、床をぱたぱたと踏んでゆくような跫音がきこえた。私たちはそれから都合四間の部屋を通りぬけてみたが、かの跫音はいつも二人のさきに立って行く。しかもその形はなんにも見えないで、ただその跫音が聞こえるばかりであった。

わたしはかの二通の手紙を手に持っていたが、あたかも階段を降りようとする時に、何ものかが私の臂をとらえたのを明らかに感じた。そうして、わたしの手から手紙を取ろうとするらしいのを軽く感じたが、私はしっかりとつかんで放さなかったので、それはそのままになってしまった。

二人は私のために設けられている以前の寝室に戻ったが、ここで私は自分の犬が私たちのあとについて来なかったことに気がついた。犬は火のそばに摺り付いてふるえているのであった。

私はすぐにかの手紙をよみ始めると、Fはわたしが命令した通りの武器を入れて来た小さい箱をあけて、短銃と匕首を取り出して、わたしの寝台の頭のほうに近いテーブルの上に置いた。そうして、かの犬をいたわるように撫でていたが、犬は一向にその相手にならないようであった。

手紙は短いもので、その日付けによると、あたかも三十五年前のものであった。それは明らかに情人がその情婦に送ったものか、あるいは夫が若い妻に宛てたものと見られた。その文章の調子ばかりでなく、以前の旅行のことなどが書いてあるのを参酌してみると、この手紙の書き手は船乗りであって、その文字の綴り方や書き方をみると、彼はあまり教育のある人物とは思われなかったが、しかも言葉そのものには力がこもっていて、あらっぽい強烈な愛情が満ちていた。しかし、そのうちのそこここに何らかの暗い不可解の点があって、それは愛情の問題ではなく、ある犯罪の秘密を暗示しているように思われた。すなわち、その一節にこんなことが書いてあったのを、私は記憶していた。

——すべてのことが発覚して、すべての人がわれわれを罵り憎んでも、たがいの心は変わらないはずだ——

——けっして他人をおまえと同じ部屋に寝かしてはならないぞ。夜なかにおまえがどんな寝言を言わないとも限らない——

——どんなことがあっても、われわれの破滅にはならない。死ぬ時が来れば格別、それまではなんにも恐れることはない——

それらの文句の下に、それよりも上手な女文字で「その通りに」と書き入れてあった。そうして、最後の日付けの手紙の終わりには、やはり同じ女文字で「六月四日、海に死す。その同じ日に——」と書き入れてあった。わたしは二通の手紙を下に置いて、それらの内容について考え始めた。

そういうことを考えるのは、神経を不安定にするものだとは思いながら、わたしは今夜これからいかなる不思議に出逢おうとも、それに対抗するだけの決心は十分に固めていた。わたしは起ちあがって、かの手紙をテーブルの上に置いて、まだ熾んに輝いている火をかきおこして、それにむかってマコーレーの論文集をひらいて、十一時半頃まで読んだ。それから着物のままで寝台へのぼって、Ｆにも自分の部屋へさがってもよいと言い聞かせた。但し、今夜は起きていろ、そうして私の部屋との間のドアをあけておけと命じた。

それから私は一人になって、寝台の枕もとのテーブルに二本の蠟燭をともした。二つの武器のそばに懐中時計を置いて、ふたたびマコーレーを読み始めると、わたしの前の火は明かるく燃えて、犬は爐(ろ)の前の敷物の上に眠っているらしく寝ころんでいた。二十分ほど過ぎたころに、隙(すき)もる風が不意に吹き込んで来たように、ひどく冷たい空気がわたしの頰を撫でたので、もしやあがり場に通じている右手のドアがあいているのではないかと見返ると、ドアはちゃんとしまっていた。さらに左手をみかえると、蠟燭の火は風に吹かれたように揺れていた。それと同時に、テーブルの上にある時計がしずかに、眼にみえない手につかみ去られるように消え失せてしまった。

わたしは片手に短銃、かた手に匕首を持って跳(と)び起きた。時計とおなじように、この二つの武器をも奪われてはならないと思ったからである。こう用心して床の上を見まわしたが、どこにも時計は見えなかった。このとき枕もとでしずかに、しかも大きく叩く音が三つ聞こえた。

「旦那。あなたですか」と、次の部屋でFが呼びかけた。

「いや、おれではない。おまえも用心しろ」

犬は今起きあがって、からだを立てて坐った。その耳を左右に早く動かしながら、不思議な眼をして私を見つめているのが、わたしの注意をひいた。犬はやがてしずかに身を起こしたが、なおまっすぐに立ったままで、総身(そうみ)の毛を逆立(さかだ)たせながら、やはりあらあらしい眼をして私をじっと見つめていた。しかも、私は犬のほうなどを詳しく検査している暇はなかった。Fがたちまちに自分の部屋からころげ出して来たのである。

人間の顔にあらわれた恐怖の色というものを、私はこのときに見た。もし往来で突然出逢ったならば、おそらく自分の雇い人とは認められないであろうと思われるほどに、Fの相好はまったく変わっていた。彼はわたしのそばを足早に通り過ぎながら、あるかないかの低い声で言った。

「早くお逃げなさい、お逃げなさい。わたしのあとからついて来ます」

彼はあがり場のドアを押しあけて、むやみに外へ駈け出すので、わたしは待て待てと呼び戻しながら続いて出ると、Fはわたしを見返りもせずに、階段を跳ね降りて、手摺りに取りついて、一度に幾足もばたばたさせながら、あわてて逃げ去った。わたしは立ちどまって耳を澄ましていると、表の入り口のドアがあいたかと思うと、またしまる音がきこえた。頼みのFは逃げてしまって、私はひとりでこの化け物屋敷に取り残されたのである。

ここに踏みとどまろうか、Fのあとを追って出ようかと、わたしもちょっと考えたが、わたしの自尊心と好奇心とが卑怯に逃げるなと命じたので、わたしは再び自分の部屋へ引っ返して、寝台の方へ警戒しながら近づいた。なにぶんにも不意撃ちを食ったので、Fがいったい何を恐れたのか、私にはよく分からなかったのである。もしやそこに隠し戸でもあるかと思って、わたしは再び壁を調べてみたが、もちろんそんな形跡もないばかりか、にぶい褐色の紙には継ぎ目さえも見いだされなかった。してみると、Fをおびやかしたものは、それが何物であろうとも、わたしの寝室を通って進入したのであろうか。わたしは内部の部屋のドアに錠をおろして、何か来るかと待ち構えながら、爐の前に立っていた。

　このとき私は壁の隅に犬の滑り込んでいるのを見た。犬は無理にそこから逃げ路を見つけようとするように、からだを壁に押しつけているので、わたしは近寄って呼んだ。

　哀れなる動物はひどい恐怖に襲われているらしく、歯をむき出して、顎からよだれを垂らして、わたしが迂闊にさわったらばすぐに咬みつきそうな様子で、主人のわたしをも知らないように見えた。動物園で大蛇に呑まれようとする兎のふるえてすくんだ様子を見たことのある人には、誰でも想像ができるに相違ない。わたしの犬の姿はあたかもそれと同様であった。いろいろに宥めても賺しても無駄であるばかりか、恐水病にでも罹っているようなこの犬に咬みつかれて、なにかの毒にでも感じてはならないと思ったので、わたしはかれを打ち捨てて、爐のそばのテーブルの上に武器を置いて、椅子に腰をおろして再びマコーレーを読み始めた。

　やがて読んでいる書物のページと燈火とのあいだへ何か邪魔にはいって来たものがある

らしく、紙の上が薄暗くなったので、わたしは仰いで見まわすと、それはなんとも説明し難いものであった。それは、はなはだ朦朧たる黒い影で、明らかに人間の形であるともいえないが、それに似た物を探せばやはり人間の形か影かというのほかはないのであった。それが周囲の空気や燈火から離れて立っているのを見ると、その面積はすこぶる大きいもので、頭は天井にとどいていた。それをじっと睨んでいると、わたしは身にしみるような寒さを感じたのである。その寒さというものがまた格別で、たとい氷山がわたしの前にあってもこうではあるまい。氷山の寒さのほうがもっと物理的であろうと思われた。しかも、それが恐怖のための寒さでないことは私にも分かっていた。

　わたしはその奇怪な物を睨みつづけていると、自分にも確かにはいえないが、二つの眼が高いところから私を見おろしているように思われた。ある一瞬間には、それがはっきりと見えるようで、次の瞬間にはまた消えてしまうのであるが、ともかくも青いような、青白いような二つの光りが暗い中からしばしばあらわれて、半信半疑のわたしを照らしていた。わたしは口をきこうと思っても、声が出ない。ただ、これが怖いか、いや怖くはないと考えるだけであった。つとめて起ちあがろうとしても、支え難い力におしすくめられているようで起つことが出来ない。わたしは私の意思に反抗し、人間の力を圧倒するこの大いなる力を認めないわけにはいかなかった。物理的にいえば、海上で暴風雨に出逢ったとか、あるいは大火災に出逢ったとかいうたぐいである。精神的にいえば、何か怖ろしい野獣と闘っているか、あるいは大洋中で鱶に出逢ったとでもいうべきである。すなわち、わたしの意思に反抗する他の意思があって、その強い程度においては風雨のごとく、火のごとく、その実力においてはかの鱶のごときものであった。

こういう感想がだんだんにたかまると、なんともいえない恐怖が湧いて来た。それでも私は自尊心——勇気ではなくとも——をたもっていて、それは外部から自然に襲って来る怖ろしさであって、わたし自身が怖れているのではないと、心のうちで言っていた。わたしに直接危害を加えないものを恐れるはずはない。わたしの理性は妖怪などを承認しないのである。いま見るものは一種の幻影に過ぎないと思っていた。

一生懸命の力を振るい起こして、わたしはついに自分の手を伸ばすことが出来た。そうして、テーブルの上の武器をとろうとする時、突然わたしの肩と腕に不思議の攻撃を受けて、わたしの手はぐたりとなってしまった。それればかりでなく、蠟燭の火が消えたというのでもないが、その光りは次第に衰えて来た。爐の火も同様で、焚き物のひかりは吸い取られるように薄れて来て、部屋の中はまったく暗くなった。この暗いなかで、かの「黒い物」に威力を揮われてはたまらない。わたしの恐怖は絶頂に達して、もうこうなったら気を失うか、呶鳴るかのほかはなかった。わたしは呶鳴った。一種の悲鳴に近いものではあったが、ともかくも呶鳴った。

「恐れはしないぞ。おれの魂は恐れないぞ」と、こんなことを呶鳴ったように記憶している。

それと同時に私は起ちあがった。真っ暗のなかを窓の方へ突進して、カーテンを引きめくって、鎧戸をはねあけた。まず第一に外部の光線を入れようと思ったのである。外には月が高く明かるく懸かっているのを見て、わたしは今までの恐怖を忘れたように嬉しく感じた。空には月がある。眠った街にはガス燈の光りがある。わたしは部屋の方を振り返ってみると、月の影はそこへもさし込んで、その光りははなはだ青白く、かつ一部分ではあったが、ともかくもそこらが明かるくなっていた。かの黒い物はなんであったか知らないが、形はもう消えてしまって、正面の壁にその幽霊かとも見えるような薄い影をとどめているのみであった。

わたしは今、テーブルの上に眼を配ると、テーブル――それにはクロスもカヴァーもない、マホガニーの木で作られた円い古いテーブルであった――の下から一本の手が臂のあたりまでぬうと出て来た。その手は私たちの手のように血や肉の多くない、痩せた、皺だらけの、小さい手で、おそらく老人、ことに女の手であるらしく思われたが、そろりそろりと伸びて来て、テーブルの上にある二通の手紙に近づいたかと見るうちに、その手も手紙も共に消えうせた。

この時さっき聴いたと同じような、物を撃つ音が大きく三度ひびいた。その音がしずかにやむと、この一室が震動するように感じられて、床の上のそこからもここからも、光りの泡のような火花と火の玉があらわれた。それは緑や黄や、火のごとく紅(あか)いのや、空のごとく薄青いのや、いろいろの色をなしているのであった。椅子は誰が動かすともなしに壁ぎわを離れて、寝台の正面に直されたかと思うと、女の形がそこにあらわれた。それは死人のように物凄いものではあったが、生きている者の形であるらしく明らかに認められた。

それは悲しみを含んだ若い美人の顔であった。身には雲のように白いローブ（長いゆるやかな着物）をまとって、喉(のど)から肩のあたりは露出(あらわ)になっていた。女は肩に垂れかかる長い黄いろい髪を梳(す)きはじめたが、私のほうへは眼もくれずに、耳を傾けるような、注意するような、待つような態度で、ドアの方を見つめていると、うしろの壁に残っている「黒い物」の影はまた次第に濃くなって、その頭にある二つの眼のようなものが女の姿を窺っているらしくも思われた。

ドアはしまっているのであるが、あたかもそこからはいって来たように、他の形があらわれた。それも女とおなじくはっきりしていて、同じく物凄く見えるような、若い男の顔であった。男は前世紀か、またはそれに似たような服を着ていたが、その襞(ひだ)の付いた襟や、レースや、帯どめの細工をこらした旧式の美しい服装が、それを着ている死人のような男と不思議の対照をなして、いかにも奇怪に、むしろ怖ろしいようにも見られた。

男の形が女に近づくと、壁の黒い影も動き出して来て、この三つがたちまちに暗いなかに包まれてしまったが、やがて青白い光りが再び照らされると、男と女の二つの幽霊は、かれらのあいだに突っ立っている大きい黒い影につかまれているように見えた。女の胸には血のあとがにじんでいた。男は剣を杖にして、これもその胸のあたりから血がしたたっていた。黒い影はかれらを呑んで、いずれも皆そのままに消えてしまうと、以前の火の玉がまたあらわれて、走ったり転がったりしているうちに、だんだんにそれが濃くなって、さらに激しく入り乱れて動いた。

三

爐の右手にある化粧室のドアがあいて、その口からさらに老婆の形があらわれた。老婆はその手に二通の手紙を持っていた。また、そのうしろに跫音が聞こえるようであった。老婆は耳を傾けるように振り返ったが、やがてかの手紙をひらいて読みはじめると、その肩越しに蒼ざめた顔がみえた。それは水中に長く沈んでいた男の顔で、膨れて、白ちゃけて、その濡れしおれた髪には海藻がからみついていた。そのほかにも、老婆の足もとには死骸のような物が一つ横たわっていて、その死骸のそばには、またひとりの子供がうずくまっていた。子供はみじめな穢い姿で、その頰には饑餓の色がただよい、その眼には恐怖の色が浮かんでいた。

老婆は手紙を読んでいるうちに、顔の皺が次第に消えて、若い女の顔になった。けわしい眼をした残忍の相ではあるが、ともかくも若い顔になったのである。するとまたここへ、かの黒い影がおおって来て、前のごとくにかれらを暗いなかへ包み去った。

今はかの黒い影のほかには、この室内になんにも怪しい物はないので、わたしは眼を据えて、じっとそれを見つめていると、その影の頭にある二つの眼は、毒どくしい蟒蛇の眼のように大きく飛び出して来た。火の玉は不規則に混乱して、あるいは舞いあがり、あるいは舞いさがり、その光りは窓から流れ込む淡い月の光りにまじりながら狂い騒いでいた。

そのうちに鶏卵の殻から出るように、火の玉の一つ一つから驚くべき物が爆発して、空中に充満した。それは血のない醜悪な幼虫のたぐいで、わたしには到底なんとも説明のしようがない。一滴の水を顕微鏡でのぞくと、無数の透明な、柔軟な、敏捷な物がたがいに追いまわし、たがいに喰い合っているのが見える。今ここにあらわれた物もまずそんな種類で、肉眼ではほとんど見分け難いものであると思ってもらいたい。その形になんの均一があるわけでもなく、その行動になんの規律があるわけでもなく、居どころも定めずに飛びまわって、私のまわりをくるくると舞いはじめた。

その集団はだんだんに濃密になって、その廻転はだんだんに急激になって、わたしの頭の上にもむらがって来た。何かの用心に突き出している私の右手の上にも這いあがって来た。時どきに何かさわるように感じたが、それはかれらの仕業でなく、眼にみえない手が私にさわるのであった。またある時には、冷たい柔らかい手がわたしの喉をなでるように感じたこともあった。

ここで恐れをいだいて降参すると、わたしのからだに危険があると思ったので、私はかれらに対抗するという一点にわたしの心力を集中して、かの蟒蛇のような眼――それはだんだんにはっきりと見えて来た――から私の眼をそむけた。わたしの周囲にはもう何物もいないのであるが、ここになお一つの「意志」がある。それは力強く、創造的で、かつ活動力に富むところの「悪」の意志であって、その力はよく私を圧伏し得るのであった。

部屋のなかの青白い空気は、今や近火でもあるように紅くなって、かの幼虫の群れは火のなかに棲む物のようにきらきらと光って来た。月のひかりはふるえて動いた。物を撃つような音がまたもや三度きこえたかと思うと、すべての物がかの黒い影に呑まれて、さらにまた大いなる暗黒のうちに隠れてしまったが、やがてその暗黒が退くと共に、黒い影もまったく消え失せて、今まで光りを奪われていたテーブルの上の蠟燭の火は再びしずかに明かるくなった。爐の火も再び燃えはじめた。この室内は再びもとの平穏の姿に立ちかえった。

二つのドアはなおしまったままで、Fの部屋へ通ずるドアにも錠をおろしてあった。壁の隅には、かの犬が追い込まれて、痙攣したように横たわっているので、わたしは試みに呼んでみたが、犬はなんの答えもなかった。さらに近寄ってよく観ると、眼の球は飛び出して、口からは舌を吐いて、顎からは泡をふいて、犬はもう死んでいるのであった。

わたしはかれを抱きあげて火のそばへ連れて来たが、哀れなる愛犬の死について、強い悲哀と強い自責とを感ぜずにはいられなかった。私がかれを死地へ連れ込んだのである。最初は恐怖のために死んだのであろうと想像していたが、その頸の骨が実際に砕かれているのを発見して、わたしはまた驚いた。それが暗中になされたとすれば、それは私のような人間の手によってなされなければなるまい。して見ると、最初から終わりまでこの室内に人間が働いていたのであろうか。それについて何か疑わしい形跡があるであろうか。私はこの以上に何事をも詳しく語ることが出来ないのであるから、よろしく読者の推断に任せるのほかはない。

もう一つ驚くべきは、さっき不思議に紛失した私の懐中時計がテーブルの上に戻っていた。但し、あたかもそれが紛失した時刻のところで、時計の針は止まっているのである。

その後、上手な時計屋へ持って行って幾度も修繕してもらったが、いつも数時間の後には針の廻転が妙に不規則になって、結局は止まってしまうことになるので、その時計はとうとう廃物になった。

その後はもう変わったことはなかった。わたしは夜のあけるまで待っていたが、何事もなかった。日が出て、世間が昼になって、わたしがこの家を立ち去るまで、もう何事もなかったのである。

いよいよここを立ち去る前に、わたしとFとが監禁された部屋、窓のない部屋へ再びはいってみた。奇異なる事件の機械的作用――もしこんな言葉があるならば――を作り出したこの部屋へ今や白昼に踏み込んで、ゆうべの怖ろしさを再び思い出すと、わたしは一刻もここに立っているに堪(た)えられないので、早そうに階段を降りかかると、またもやわたしのさきに立ってゆく跫音(あしおと)がきこえた。そうして、表の入り口のドアをあけた時に、うしろでかすかな笑い声がきこえたようにも思われた。

わたしは自分の家へ帰った。ゆうべ逃亡した雇い人は定めて顔を見せるだろうと思いのほか、Fはどこへ行ってしまったか、一向にその消息が分からないのであった。三日の後にリヴァプールからの手紙が来た。

先夜はご覧の通りの始末で、なんとも申しわけがございません。わたくしが本当に回復するにはこれから一年以上もかかるだろうと存じますから、もちろん今後のご奉公は出来ません。わたくしはこれからメルボルンにいる義兄弟のところへ尋ねて行くつもりで、その船は明日出帆いたします。長い航海をつづけているうちには、わたくしも気がしっかりして来るであろうと存じます。なにしろ唯今のところでは恐怖と戦慄があるばかりで、怖ろしい物が常に自分のうしろに付きまとっているように思われてなりません。それからはなはだ恐れ入りますが、わたくしの衣類や荷物のたぐいは、ウォルウォースにいるわたくしの母のところへお届けを願います。母の住所はジョンが知っております。――

　手紙の終わりには、なおいろいろの弁解が付け加えてあって、やや辻褄の合わない点もあるが、筆者はすこぶる注意して書いたらしく、くどくどと列べ立ててあった。本人はかねて濠州へ行きたい希望があったので、それをゆうべの事件に結び付けて、こんな拵え事をしたのではないかとも疑われるが、私はそれについてなんにも言わない。むしろ世間には信ずべからざることを信ずる人がたくさんあって、彼もその一人であろうと思った。いずれにしても、この事件に対するわたしの信念と推理は動かないのである。

　夕方になって、わたしは貸馬車を雇って再びかの化け物屋敷へ行った。そこへ置いて来たわたしの物と、死んだ犬の亡骸とを引き取るためであったが、今度は別になんの邪魔もなかった。ただその階段を昇り降りするときに、例の跫音を聞いたほかには、わたしの注意にあたいするような出来事もなかった。

そこを出て、さらに家主のJ氏をたずねると、彼はあたかも在宅であった。わたしは鍵を返した上で、わたしの好奇心は十分に満足したことを話した。そうして、ゆうべの出来事を口早に話しかけると、J氏はそれをさえぎって、しょせん誰にも解決のつかないような怪談について、自分は最早興味を持たないと丁寧にことわった。しかし、かの二通の手紙の事と、またそれが不思議に消え失せたことだけは報告しておかなければならないと思ったので、わたしはJ氏にむかって、かの手紙は、かの家で死んだ老婆に宛てたものであると考えられるが、かの老婆が過去の経歴のうちには手紙にあらわれているような暗い秘密をかくしていると思われる節があるかと質問すると、J氏は驚いたように見えた。彼はしばらく考えたのちに、こう答えた。

「さきにお話し申した通り、あの婆さんがわたしのほうの知り合いであるという以外、その若いときの経歴などについては、あまりよく知らないのです。しかしあなたのお話を伺って、おぼろげな追憶を呼び起こすようにもなりましたから、わたしは更に聞き合わせて、その結果をご報告しましょう。それにしても、ここに一人の犯罪者または犯罪の犠牲者があって、その霊魂が犯罪の行なわれた場所へ再び立ち戻って来るという、世間一般の迷信を承認するとしても、あの婆さんの死ぬ前からあの家に不思議の物が見えたり、不思議な音が聞こえたりしたのはどういうわけでしょうか。……あなたは笑っていられるが、それにはどういうご意見がありますか」

「もし、われわれがこの秘密の底深くまで進んで行ったら、生きている人間の働いていることを発見するだろうと思われます」

「え、なんとおっしゃる。では、あなたはすべてのことが詐欺（いかさま）だと言われるのですか。どうしてそんなことが分かりました」

「いや、詐欺というのとは違います。たとえば、わたしが突然に深い睡眠状態におちいって――それはあなたが揺り起こすことの出来ないような深い睡眠状態におちいったとして、その時わたしは眼ざめた後に訴えることの出来ないほど正確に、あなたの問いに答えることが出来ます。すなわちあなたのポケットにはいくらの金を持っているとか、あなたは何を考えているとか……そういうたぐいのことは詐欺というべきではなく、むしろ無理にしいられた一種の超自然的の作用ともいうべきものです。わたしは自分の知らないあいだに、遠方からある人間に催眠術をほどこされて、その交感関係に支配されていたのだと思うのです」

「かりに催眠術師が生きた人間に対してそういう感応（かんのう）をあたえ得るとしても、生きていないもの……すなわち椅子やドアのような物に対して、それを動かしたり、あけたりしめたりすることが出来るでしょうか」

「実際はそうでなくして、そういうふうに思わせるのかもしれません。普通に催眠術と称せられるものでは、もちろん、そんなことは出来ませんが、催眠術師のうちにも、一種の血統があるか、あるいはその術の特に優れた者か、それらのうちには昔でいう魔術に似たような不思議の力を持っている者がないとは限りません。その力が果たして生なき物にまで働き得るかどうかは知りませんが、もしそんなことがあったとしても、あえて不自然とは言われまいかと思われます。もちろん、それはこの世の中にははなはだ少ないことで、その人は特殊の体質を持って生まれ、特殊の実験を積んで、その術の最高極度に到達したものと見なければなりません。その力が死んだ者の上に……詳しくいえば、死んだ者にもまだ残っているある思想とか、ある記憶とかいうものの上に働くのです。そうして、正しくは霊魂というべきものではなく、最も地上に近い一種の霊気がわれわれの感覚にあらわれて来るようになるのです。しかし私はそれをもって、真の超自然的の力とは認めません。それを説明するために、パラセルサス（スイスの医師、博物学者、十六世紀初年の人）の著作『文学上の奇観』の一節を申し上げましょう。

ここに一つの花があって、人がそれを焼けば枯れて焼けうせる。その花の元素が何であろうとも、どこかへ消散してしまって、それを見受けることも出来ず、ふたたび集めることも出来ない。しかし化学的に研究すれば、その花の焼けた灰や埃の中からは、生きているときと同様のスペクトル（分光）を発見することが出来るのである。人間も同じことで、霊魂は花の本体または元素のごとくに離れ去っても、それにスペクトルが残っている。普通の人はそれを霊魂と信じているけれども、それをまことの霊魂と混同してはならない。それは死人の幻影ともいうべきものである。それであるから、古来の怪談に伝えられるところのものには、まことの霊魂が宿っているのではなく、よく分離したる知識のみだと思えばよい。これらの幽霊ともいうべきものは、多少の目的があって出現することもあり、またはなんの目的もなくして現われることもある。かれらは稀に口をきくこともあるが、別になんの思想を発表するわけでもない。したがって、たといその幻影がいかに驚くべきものであっても、哲学の本分としては、超自然的の不思議な物でもないとして拒否すべきである。かれらは人間の死にぎわにその頭脳から他へ運ばれたところの思想に過ぎない。

――まずこんな議論であろうとして、ゆうべの出来事を考えると、テーブルが自然にあるき出したのも、怪物のような形が壁に映ったのも、人間の手ばかりが出て来て、そこにある物を持ち去ったのも、または黒い物があらわれたのも、たといそれがわれわれの血を凍らせるほどの怖ろしい出来事であったとしても、そこにはある種の仲介者があって、あたかも電気の線のごとくに、他の頭脳からわたしの頭脳へ流通させたものであると信じられるのです。

人間は体質によって自然に化学的に出来ている者がある、そうした人間は化学的の驚異を現ずることが出来ます。また、液体的（普通に電気という）の人間は発電の不思議を見せることも出来るのです。

そこで、ゆうべ私が見たり聞いたりしたすべてのことは、人間……私とおなじように生きている人間が、遠方から何かの仕事をしているのであって、本人自身も知らないほどにいい効果を生じたのであろうと思われます。要するに、その人間がある死人の頭脳を利用しているのであって、頭脳それ自身は単に夢を見ているに過ぎないのです。しかしその力は非常に強大なもので、その物質的の力はわたしの犬を殺したほどです。わたしも恐怖のために屈伏したならば、犬とおなじように殺されたでしょう」

「あなたの犬を殺しましたか。それは怖ろしいことです」と、J氏は言った。「なるほどそう言えばあの家に動物は棲んでいません。猫一匹も見えません。鼠も見たことはありません」

「強烈なる獣性の創造力がそれらの動物を殺すほどの影響をあたえるのですが、人間は他の動物よりも更に強い抵抗力を持っているのです。まずそれはそれとして、あなたは私の理論をご諒解になりましたか」

「まず大抵は……。失礼ながらお蔭さまで、多少の手がかりを得ました。われわれが子供部屋にいるときから沁みこんでいる幽霊や化け物に対する概念を、ただそのままに受け入れるよりも、むしろあなたのお説に従うべきでしょう。しかし議論は議論として、わたしの貸家に悪いことのあるのはどうにもなりません。そこで一体あの家をどうしたらいいでしょうか」

「こうしたらどうです。わたしの泊まった寝室のドアと直角になっている、家具のない小さい部屋が怪しいように思われます。あの部屋があの家に祟りをなす一種の感動力の出発点か、または置き所だと認められますから、私はぜひあなたにお勧め申して、あすこの壁を取りのけ、あすこの床をはずしたいのです。そうでなければ、あの部屋をみな取り毀してしまうのです。あの部屋は建物の総体から離れて、小さい裏庭の上に作られているのですから、あれを動かしたところで、建物の他の部分にはなんにも差支えはありますまい」

「そこで、わたしがその通りにしましたらば……」

「まず電信線を切りはずすのです。それをやってご覧なさい。もしその作業の指揮をわたしに任せて下さるなら、わたしがその工事費の半額を支払います」

「いや、それは私がみな負担します。その余のことは、書面で申し上げましょう」

四

それから十日ほどの後に、わたしはJ氏からの手紙をうけとった。

その報告によると、彼はわたしが帰ったあとで、かの家へ見廻りに行った。そうして、かの二通の手紙が再びもとの抽斗(ひきだし)に戻っているのを発見したので、彼もわたしと同じような疑いをもって読んだ。それからまた、わたしが推測した通りに、かの手紙の受け取り人であるらしい老婆の身の上を念入りに調べはじめると、手紙の日付けの一年前、すなわち今から三十六年前に彼女は親族の意志にさからって結婚した。男はアメリカ生まれのすこぶる怪しい人物で、世間からは海賊であると認められていた。彼女は信用の厚い商人の娘で、結婚するまでは乳母に育てられていたほどの身分であった。また、彼女には男やもめの兄があって、それはおそらく金持であったらしく、その当時六歳ぐらいの子供を持っていたのである。彼女が結婚してから一カ月の後、その兄の死骸がテームス河のロンドン橋に近いところで発見されて、死骸の咽喉部には暴力を加えたらしい形跡が見えたが、特に検視を求めるというほどの有力の証拠にもならず、結局は溺死ということで終わった。

アメリカ人とその妻は死んだ兄の遺言状によって、その一人の孤児の後見人となった。そうして、その子供が死んだために、妻がその財産を相続した。但(ただ)し、その子供はわずかに六カ月の後に死んだので、おそらく後見人夫婦のために冷遇と虐待を受けたせいであろうと想像された。近所の者は夜なかに子供の泣き叫ぶ声を聞いたことがあると証明した。またその死体を検査した医師は、営養欠乏のために死亡したのだといい、しかもその全身にはなまなましい紫斑の痕が残っていたと言った。なんでもある冬の夜に、子供はそこを逃げ去ろうとして、裏庭まで這い出して、塀を登ろうとして、疲れて倒れて、あくる朝になって石の上に死んでいるのを発見されたものであるらしい。しかし、そこに虐待の証拠はいくらか認められても、その子供を殺したという証拠はなんにも認められないのである。彼の叔母とその夫はその残酷の行為に対して、子供が非常に強情であるのを矯正するがためであったと弁解した。そうして、彼は半気ちがいのような片意地者であったと説明した。いずれにしても、この孤児の死によって、叔母は自分の兄の財産を相続したのであった。

結婚の第一年が過ぎないうちに、かのアメリカ人はにわかに英国を立ち去って、それぎり再び帰って来なかった。彼はそれから二年の後、大西洋で難破した船に乗り合わせていたのである。

こうして未亡人とはなったが、彼女は豊かに暮らしていた。しかもいろいろの災厄が彼女の上に落ちかかって来て、預金の銀行は倒れる、投資の事業は失敗するという始末で、とうとう無産者となってしまった。それからいろいろの勤めに出たが、まただんだんに零落して、貸家の監督から更に下女奉公にまで出るようになった。彼女の性質を別に悪いという者もないのであるが、どこへ行ってもその奉公が長くつづかなかった。彼女は沈着で、正直で、ことにその行儀がいいのを認められていながら、どうも彼女を推薦する者がなかった。そうして、ついに養育院に落ち込んだのを、J氏が引き取って来て貸家の番人に雇い入れたのである。その貸家は彼女が結婚生活の第一年に、一家の主婦として借り受けた家であった。

J氏はそのあとへ、こういうことを付け加えて来た。

――わたしが打ち毀せと勧めたかの部屋に、J氏はただひとりで一時間を過ごしたが、別になんにも見えるでもなく、聞こえるでもないにもかかわらず、彼は非常の恐怖を感じたので、断然わたしの注意にしたがって、その壁をめくり、床を剝がすことに決心して、すでにその職人とも約束しておいたから、わたしの指定の日から工事に着手するというのであった。

そこで時間をとりきめて、わたしはかの化け物屋敷へ行った。私たちは窓のないがらんどうの部屋へはいって、建物の幅木を取りのけ、それから床板をめくると、垂木の下に屑をもっておおわれた刎ね上げの戸が発見された。そのかくし鈴(ベル)は人間が楽にはいられるくらいの大きさで、鉄の締金(しめがね)と鋲(びょう)とで厳重に釘付けにされていた。それらをはずして、下の部屋へ降りてみると、その構造には別に怪しいところもなく、そこには窓も烟出(けむだ)しもあったが、それらは煉瓦で塗り固められて、すでに多年を経たものであることが明らかに見られた。

蠟燭の火をたよりにそこらを検査すると、おなじ型の家具――三脚の椅子、一脚の槲(かしわ)の木の長椅子、一脚のテーブル、それらはほとんど八十年前の形式の物であった。壁にむかって抽斗(ひきだし)つきの箱があって、その箱から八十年前または百年前に、相当の地位を占めていた紳士が着用したのであろうと思われる、男の衣服の附属品の半ば腐朽しているのを発見した。

高価な鋼鉄のボタンや帯留めや、それらは宮中服の附属品であるらしく、ほかに立派な宮中用らしい帯剣とチョッキ、そのチョッキは金の編み絲で華麗に飾られていたらしいが、今はもう黒くなって湿(しめ)っていた。それから五ギニアの金と少しばかりの銀貨と、象牙の入場券――これはおそらく遠い昔の宴会か何かのときの物であろう――などが現われたが、私たちの主要なる発見は壁に取り付けてある鉄の金庫のようなもので、その錠をあけるのはなかなか困難であった。

この金庫には三つの棚と二つの抽斗があって、棚の上には密封したガラス罎がたくさんにならんでいた。その罎には無色の揮発性の物を貯わえてあって、それはなんだかわからない。そのうちに燐とアンモニアの幾分を含んでいるが、別に有毒性の物ではなかったと言い得るだけのことである。そこにはまた、すこぶる珍らしいガラスの管（くだ）と、結晶石の大きい凝塊（かたまり）と、小さい点のある鉄の綱と、琥珀（こはく）と、非常に有力な天然磁石とが発見された。

一つの抽斗からは、金ぶちの肖像画があらわれた。密画に描いたもので、おそらく多年ここにあったと思われるにもかかわらず、その色彩は眼に立つほどの新しさを保っていた。肖像はやや中年にすすんだ、四十七、八歳ぐらいの男であった。

その男は特徴のある顔――はなはだ強い印象をあたえる顔で、それをくどくどと説明するよりも、ある大きい蟒蛇（うわばみ）が人間に化けた時、すなわちその外形は人間にして蟒蛇のタイプであるといったらば、諸君にも大かた想像がつくであろう。前頭の広さと平ったさ、怖ろしい口の力をかくしているような細さと優しさ、翠玉（エメラルド）のごとくに青く輝いている長く大きい物凄い眼――更にまた、自己の大なる力を信ずるような、一種の無慈悲な落ちつきかた――。

わたしはその裏をあらためてみようと思って、機械的にその肖像画を裏がえすと、そこにはペンタクル（五芒星形）が彫刻してあった。ペンタクルの中央には階子（はしご）の形があって、その三段目には一七六五年と記されていた。さらに精密に検査しているうちに、わたしは弾機(ばね)を発見した。その弾機を押すと、額(がく)のうしろは蓋(ふた)のように開いた。その蓋の裏には「マリアナが汝(なんじ)に命ず。生くる時も死せる時も――に忠実なれ」と彫刻してあった。

誰に忠実なれというのか、その人の名はここにしるさないが、それは私にも心当たりがないではなかった。わたしは子供のときに老人から聞かされたことがある。かれは人の眼をくらます偽(にせ)学者で、自分の家のなかで自分の妻とその恋がたきとを殺して逃走したために、約一年間もロンドン市中を騒がしたのであった。しかし、わたしはそれをJ氏に語るのを厭(いと)うて、そのまま額の裏をとじてしまった。

金庫のうちの第一の抽斗をあけるのは、別にむずかしくもなかったが、第二の抽斗をあけるには非常に困った。錠をおろしてあるのではないが、どうしてもあかないので、結局その隙間(すきま)へ鑿(のみ)の刃を挿(さ)し込んで、ようようにこじあけると、抽斗のなかには、はなはだ簡単な化学機械が順序正しくならんでいた。

小さな薄い書物――むしろ書板(タブレット)というべき物の上に、ガラスの皿を置いてあって、その皿には清らかな液体がみたされていた。液体の上には磁石のような物が浮かんでいて、その磁石の針は急速に廻転するのであった。しかし普通の磁石が示す方向とはちがって、天文学者が惑星を指示するものとあまり異っていない七つの奇妙な文字がしるされていた。

抽斗は木でしきられていて、それが榛の木のたぐいであることを後に知ったが、その抽斗の中から一種特別な、しかも強烈でもなく、また不愉快でもないような匂いが発して来た。その匂いの原因はなんであるか知らないが、とにかくにそれが人間の神経に感じるもので、J氏と私ばかりでなく、この部屋に居あわせた二人の職人も、指のさきから髪の毛の根までがうずくように感じたのであった。

タブレットの詮議を急ぐので、わたしはその皿を取りのけると、磁石の針は非常の急速力をもって廻転をはじめて、私は思わずその皿を床の上に取り落としてしまうほどに、全身に一種の衝動を感じた。皿が毀れると、液体も流れ出して、磁石は部屋の隅にころがった。——と思うと、その瞬間に、あたかも巨人の手をもって揺すぶるように、四方の壁があちらこちらへと揺れ出した。

職人たちはおどろいて、初めにこの部屋へ降りて来たところの階子へ逃げあがったが、それぎりで何事も起こらないのを見て、安心して再び降りて来た。

やがて私がタブレットをひらくと、それは銀の止め金の付いた普通の赤いなめし皮に巻かれていて、そのなかにはただ一枚の厚い皮紙を入れてあった。皮には二重のペンタクルが書いてあって、そのなかに昔の僧侶が書いたらしい語がしるしてあった。それを翻訳すると、こうである。

——この壁に近づく者は、有情と非情と、生けると死せるとを問わず、この針の動くが如くにわが意思は働く。この家に呪いあれ。ここに住む者は不安なれ——

そのほかにはなんにもなかった。J氏はそのタブレットと呪文を焼き捨て、さらにその秘密の部屋とその上の寝室とをあわせて、土台下からすべて切り取ってしまった。そこでJ氏も勇気が出て、彼自身がこの家に一カ月ほども平気で住んだ。

そうなると、こんな閑静な、居ごこちのいい家(いえ)はロンドンじゅうにもめったにないというので、彼は相当に儲けて貸すことになったが、借家人はけっして苦情を言わなかった。

スペードの女王

プーシキン

プーシキン　Alexander S Pushkin

一七九九年五月二十六日、露国モスクワに生まる。詩人、小説家、戯曲家、歴史家。一八三七年一月二十七日、決闘に重傷を負って二日の後に死す。而もその短生涯における著作ははなはだ多く、露国文壇の最高位を占む。

一

近衛騎兵のナルモヴの部屋で骨牌(かるた)の会があった。長い冬の夜はいつか過ぎて、一同が夜食(ツッペ)の食卓に着いた時はもう朝の五時であった。勝負に勝った組はうまそうに食べ、負けた連中は気がなさそうに喰い荒らされた皿を見つめていた。しかし、シャンパン酒が出ると、とにかくだんだんに活気づいて来て、勝った者も負けた者もみんなしゃべり出した。

「で、君はどうだったのだい、スーリン」と、主人公のナルモヴが訊(き)いた。

「やあ、相変わらず取られたのさ。僕はどうも運が悪いと諦(あきら)めているよ。なにしろやっていることがミランドール（一種の骨牌戯）だし、いつも冷静にしているから、手違いのしようがないのだが、それでいて、しじゅう負けているのだからね」

「だって君は、一度も赤札に賭けようとしなかったじゃないか。僕は君の強情にはおどろいてしまったよ」

「しかし君はヘルマンをどう思う」と、客の一人が若い工兵士官を指さしながら言った。「この先生は生まれてから、かつて一枚の骨牌札も手にしたこともなければ、一度も賭けをしたこともないのに、朝の五時までこうしてここに腰をかけて、われわれの勝負を眺めているのだからな」

「人の勝負を見ているのが僕には大いに愉快なのだ」と、ヘルマンは言った。「だが、僕は自分の生活に不必要な金を犠牲にすることが出来るような身分ではないからな」

「ヘルマンはドイツ人である。それだから彼は経済家である。……それでちゃんと分かっているじゃあないか」と、トムスキイが批評をくだした。「しかし、ここに僕の不可解な人物が一人ある。僕の祖母アンナ・フェドトヴナ伯爵夫人だがね」

「どうしてだ」と、他の客たちがたずねた。

「どうして僕の祖母がプント（賭け骨牌の一種）をしないかが僕には分からないのだ」と、トムスキイは言いつづけた。

「どうしてといって……。八十にもなったお婆さんがプントをしないのを、何も不思議がることはないじゃないか」と、ナルモヴが言った。

「君はなぜ不可解だか、その理由を知るまい」

「むろん、知らないね」

「よし。では聴きたまえ。今から五十年ほど前に、僕の祖母はパリへ行ったことがあるのだ。ところが、祖母は非常に評判となって、パリの人間はあの『ムスコビートのヴィーナス』のような祖母の流し眼の光栄に浴しようというので、争って、そのあとをつけ廻したそうだ。祖母の話によると、なんでもリチェリューとかいう男が祖母を口説きにかかったが、祖母に手きびしく撥ねつけられたので、彼はそれを悲観して、ピストルで頭を撃ち抜いて自殺してしまったそうだ。

そのころの貴婦人間にはファロー（賭け骨牌）をして遊ぶのが流行っていた。ところが、宮廷に骨牌会があった時、祖母はオルレアン公のためにさんざん負かされて、莫大の金を取られてしまった。そこで、祖母は家へ帰ると、顔の美人粧と袴の箍骨を取りながら、祖父にその金額をうちあけて、オルレアン公に支払うように命じたのだというのだが、死んだ僕の祖父というのは、僕も知っていたが、まるで祖母の家令のようで、火のごとくに彼女を恐れていたのだ。その祖父が、祖母から負けた賭け金を聞いたときには、ほとんど気が遠くなったというのだろう、なんでもよほどの金高らしかったのだね。で、さすがの祖父も、半年のあいだに祖母が賭けでつかった金が五十万フランにも達していることをかぞえ立てて、自分のモスクワやサラトヴの領地がパリにあるわけではないから、とてもそんな巨額の負債は払えないと断然拒絶したのだ。すると、僕の祖母は祖父の耳のあたりを平手で一つ喰らわせた上に、自分が怒っているということを示すために、黙って独りで寝てしまった。

さて、そのあくる日になって、祖母はゆうべの夫への懲らしめがうまく利いてくれればいいがと心に祈りながら、祖父を呼び寄せて口説いたが、祖父はやはり頑として肯かなかった。祖母は自分には負債に負債があること、しかし貴族と馭者とは違うのであるから、負債はどこまでも支払わなければならないことを言い聞かせれば、おそらく説得できるものと思ったので、結婚以来初めて祖父に言訳をしたり、説明を試みたりしたのだが、結局それは無効に終わって、祖父は依然として聞き容れなかった。そこでこの問題は夫婦間だけでは解決がつかなくなって来て、祖母はどうしていいか、途方に暮れてしまったのだ。

これより前に、祖母は一人の非常に有名な男と知り合いになっていた。諸君はすでに、幾多の奇怪なる物語を伝えられる、サン・ジェルマン伯のことを聞いて知っているだろう。彼はみずから宿なしのユダヤ人といい、または不老長生薬の発見者といい、その他いろいろのことを言い触らしていたので、ある者は彼を詐欺師として軽蔑していたが、カサノヴァの記録によると、かれは間諜であったそうだ。いや、そんなことはどうであろうと、彼は非常なる魅力の所有者であるとともに、社交界にはなくてはならぬ人物であった。現に今日でも、彼のことといえば僕の祖母は大いに同情して、もし誰かがその悪口でも言おうならば烈火のごとくに怒り出すのだ。

祖母は右のサン・ジェルマン伯が巨額の金でも自由になることを知っていたので、まず彼にすがりつこうと決心して、自分の家へ来てくれるように手紙を出すと、この奇怪なる老人はすぐにたずねて来て、憂いに沈んでいる祖母に対面したのだ。

そこで、祖母は自分の夫の残酷無情を大いに憤激しながら彼に訴えて、ただ一つの道はあなたの友誼と同情に頼むのほかはないという結論に到達すると、サン・ジェルマン伯は〈よろしい。あなたがご入用の金額をお立て替え申しましょう。しかし、それを私にご返却なさらない間は、あなたもご安心が出来ますまいし、私としてもあなたに新しいご心配をかけるのは好ましくありません。ところで、ここに一つ、私がその金額のお立て替えをせずに、あなたのご心配を取り除く方法があります。それはあなたがもう一度賭けをなすって、ご入用だけの金額をお勝ちになることです〉と言ったそうだ。〈でも伯爵さま。実は、私にはもうすこしの持ち合わせもないのです〉と祖母が答えると、〈いや、金などはちっとも要らないのです〉と、今度はサン・ジェルマン伯がそれを打ち消して答えた。〈まあ、私の言うことをお聞きなさい〉と、それから彼は、われわれがおたがいによくやるような一つの秘策を祖母に授けたのだ」

若い将校連はだんだんに興味を感じて来て、熱心に耳を傾けていた。トムスキイはパイプをくわえると、うまそうに一服吸ってから、またそのさきを語りつづけた。

「その晩、祖母は女王の遊び（骨牌戯の一種）をするためにヴェルサイユの宮殿へ行った。オルレアン公が親元をしていたので、祖母はいかにも尤もらしく、まだ負債を返済していないことを手軽に言訳してから、公爵と勝負をはじめた。祖母は三枚の骨牌札を選んで順じゅんにそれを賭けて行って、とうとうソニカ（一番手っ取り早く勝負のきまる骨牌戯）で三枚とも勝ったので、祖母は前に負けただけの金額を全部回収してしまったのだ」

「実に僥倖だな」と、一人の客が言った。

「作り話さ」と、ヘルマンが批評をくだした。

「たぶん骨牌に印でも付けておいたのではないか」と、三番目に誰かが言った。

トムスキイは断乎たる口ぶりで答えた。

「僕はそうは考えないね」

「なんだ」と、ナルモヴが言った。「君は三枚ともまぐれ当たりに勝つ方法を知っているおばあさんが生きているのに、彼女からその秘密を引き出し得なかったのか」

「むろん、僕もいろいろに抜け目なくやっては見たのだがね」と、トムスキイは答えた。

「なにしろ、祖母には四人の息子があって、そのうちの一人が僕の父だが、四人とも骨牌では玄人の方であったし、その秘密を明かしてくれれば叔父や父ばかりでなく、僕にだってまんざら悪いことではないのだが、祖母はどうしてもその秘密を明かそうとはしなかったのだ。だが、この話は叔父も彼の名誉にかけて、実際の話だと断言していたよ。それに、死んだシャプリッツキイね――数百万の資産を蕩尽して、尾羽打ち枯らして死んだ――あの先生が、かつて若いときに三十万ルーブルばかり負けたことがあったのだ。よくは覚えていないが、たぶん相手はゾリッヒであったと思うがね。そこで先生、すっかり悲観してしまっていたところを、いつも若い者のでたらめな生活に対しては厳格であった僕の祖母がひどく同情して、生涯に二度と骨牌をしないという誓言をさせた上で、三枚の切り札の秘密を彼に授けて、順じゅんに賭けるように教えたのだ。そこで、シャプリッツキイは前に負けた敵のところへ出かけて行って、新手の賭けをやった。初めの札で彼は五万ルーブルを賭けて、ソニカで勝ってしまったが、その次の札で彼は十万ルーブルを賭けるとまた勝った。こうして最後まで同じ手を打って、とうとう彼が前に負けた金額よりも遙かに多く勝ってしまったのだ……」

「もうそろそろ寝ようではないか。六時十五分過ぎだぜ」

実際すでに夜が明け始めていたので、若い連中はぐっとコップの酒を飲みほして、思い思いに帰って行った。

二

三人の侍女はA老伯爵夫人を彼女の衣裳部屋の姿見の前に坐らせてから、そのまわりに附き添っていた。第一の侍女は小さな臙脂（べに）の器物を、第二の侍女は髪針（ヘヤピン）の小箱を、第三の侍女は光った赤いリボンのついた高い帽子をささげていた。その伯爵夫人は美というものに対して、もはや少しの自惚（うぬぼれ）もなかったが、今もなお彼女の若かりし時代の習慣をそのままに、二十年前の流行を固守した衣裳を身につけると、五十年前と同じように、長い時間をついやして念入りの化粧をした。窓ぎわでは、彼女の附き添い役の一人の若い婦人が刺繡台の前に腰をかけていた。

「お早うございます、おばあさま」と、一人の青年士官がこの部屋へはいって来た。「今日は（ボンジュール）、リース嬢（マドモアゼル・リース）。おばあさま、ちょっとお頼み申したいことがあるのですが……」

「どんなことです、ポール」

「ほかでもないのですが、おばあさまに僕の友達をご紹介した上で、この金曜日の舞踏会にその人を招待したいのですが……」

「舞踏会にお呼び申して、その席上でそのおかたを私に紹介したらいいでしょう。それはそうと、きのうおまえはBさんのお家（うち）においででしたか」

「ええ、非常に愉快で、明けがたの五時頃まで踊り抜いてしまいました。そうそう、イエレツカヤさんが実に美しかったですよ」

「そうですかねえ。あの人はそんなに美しいのかねえ。あの人のおばあさまのダリア・ペトロヴナ公爵夫人のように美しいのかい。そういえば、公爵夫人も随分お年を召されたことだろうね」

「なにをおっしゃっているのです、おばあさま」と、トムスキイはなんの気もなしに大きい声で言った。「あの方はもう七年前に亡くなられたではありませんか」

若い婦人はにわかに顔をあげて、この若い士官に合図をしたので、彼は老伯爵夫人には彼女の友達の死を絶対に知らせていないことに気がついて、あわてて口をつぐんでしまった。しかしこの老伯爵夫人はそうした秘密を全然知らなかったので、若い士官がうっかりしゃべったことに耳を立てた。

「亡くなられた……」と、夫人は言った。「わたしはちっとも知らなかった。私たちは一緒に女官に任命されて、一緒に皇后さまの御前（ごぜん）に伺候したのに……」

それからこの伯爵夫人は、彼女の孫息子にむかって、自分の逸話をほとんど百回目で話して聞かせた。

「さあ、ポール」と、その物語が済んだときに夫人は言った。「わたしを起こしておくれ。

それからリザンカ、わたしの嗅煙草の箱はどこにあります」

　こう言ってから、伯爵夫人はお化粧を済ませるために、三人の侍女を連れて屏風のうしろへ行った。トムスキイは若い婦人とあとに残った。

「あなたが伯爵夫人にお引き合わせなさりたいというお方は、どなたです」と、リザヴェッタ・イヴァノヴナは小声で訊いた。

「ナルモヴだよ。知っているだろう」

「いいえ。そのかたは軍人……。それとも官吏……」

「軍人さ」

「工兵隊のかた……」

「いや、騎馬隊だよ。どういうわけで工兵隊かなどと聞くのだ」

　若い婦人はほほえんだだけで、黙っていた。

「ポール」と、屏風のうしろから伯爵夫人が呼びかけた。「私に何か新しい小説を届けさせて下さいな。しかし、今どきの様式のは御免ですよ」

「とおっしゃると、おばあさま……」

「主人公が父や母の首を絞めたり、溺死者が出て来たりしないような小説にして下さい。わたしは水死した人たちのことを見たり聞いたりするのが恐ろしくってね」

「今日(こんにち)では、もうそんな小説はありませんよ。どうです、ロシアの小説はお好きでしょうか」

「ロシアの小説などがありますか。では、一冊届けさせて下さい、ポール。きっとですよ」

「ええ。では、さようなら。僕はいそぎますから……。さようなら、リザヴェッタ・イヴァノヴナ。え、おまえはどうしてナルモヴが工兵隊だろうなどと考えたのだ」

こう言い捨てて、トムスキイは祖母の部屋を出て行った。

リザヴェッタは取り残されて一人になると、刺繍の仕事をわきへ押しやって、窓から外を眺め始めた。それから二、三秒も過ぎると、むこう側の角の家のところへ一人の青年士官があらわれた。彼女は両の頰をさっと赤くして、ふたたび仕事を取りあげて、自分のあたまを刺繡台の上にかがめると、伯爵夫人は盛装して出て来た。

「馬車を命じておくれ、リザヴェッタ」と、夫人は言った。「私たちはドライヴして来ましょう」

リザヴェッタは刺繡の台から顔をあげて、仕事を片付け始めた。

「どうしたというのです。おまえは聾(つんぼ)かい」と、老夫人は叫んだ。「すぐに出られるように、馬車を支度させておくれ」

って、若い婦人は次の間へ急いで行った。

一人の召使いがはいって来て、ポール・アクレサンドロヴィッチ公からのお使いだとい
って、二、三冊の書物を伯爵夫人に渡した。

「どうもありがとうと公爵にお伝え申しておくれ」と、夫人は言った。「リザヴェッタ
……。リザヴェッタ……。どこへ行ったのだねえ」

「唯今、着物を着換えております」

「そんなに急がなくてもいいよ。おまえ、ここへ掛けて、初めの一冊をあけて、大きい声
をして私に読んでお聞かせなさい」

若い婦人は書物を取りあげて二、三行読み始めた。

「もっと大きな声で……」と、夫人は言った。「どうしたというのです、リザヴェッタ
……。おまえは声をなくしておしまいかえ。まあ、お待ちなさい。……あの足置き台をわ
たしにお貸しなさい。……そうして、もっと近くへおいで。……さあ、お始めなさい」

リザヴェッタはまた二ページほど読んだ。

「その本をお伏せなさい」と、夫人は言った。「なんというくだらない本だろう。ありが
とうございますと言ってポール公に返しておしまいなさい。……そうそう、馬車はどうし
ました」

「もう支度が出来ております」と、リザヴェッタは街の方をのぞきながら答えた。

「どうしたというのです、まだ着物も着換えないで……。いつでも私はおまえのために待たされなければならないのですよ。ほんとに焦れったいことだね、リザヴェッタ」

リザヴェッタは自分の部屋へ急いでゆくと、それから二秒と経たないうちに夫人は力いっぱいにベルを鳴らし始めた。三人の侍女が一方の戸口から、また一人の従者がもう一方の戸口からあわてて飛び込んで来た。

「どうしたというのですね。わたしがベルを鳴らしているのが聞こえないのですか」と、夫人は呶鳴った。「リザヴェッタ・イヴァノヴナに、わたしが待っているとお言いなさい」

リザヴェッタは帽子と外套を着て戻って来た。

「やっと来たのかい。しかし、どうしてそんなに念入りにお化粧をしたのです。誰かに見せようとでもお思いなのかい。お天気はどうです。風がすこし出て来たようですね」

「いいえ、奥様。静かなお天気でございます」と、従者は答えた。

「おまえはでたらめばかりお言いだからね。窓をあけてごらんなさい。それ、ご覧。風が吹いて、たいへん寒いじゃないか。馬具を解いておしまいなさい。リザヴェッタ、もう出るのはやめにしましょう。……そんなにお粧りをするには及ばなかったね」

「わたしの一生はなんというのだろう」と、リザヴェッタは心のうちで思った。

実際、リザヴェッタ・イヴァノヴナは非常に不幸な女であった。ダンテは「未熟なるもののパンは苦く、彼の階梯は急なり」と言っている。しかもこの老貴婦人の憐れな話し相手リザヴェッタが、居候と同じような辛い思いをしていることを知っている者は一人もなかった。A伯爵夫人はけっして腹の悪い婦人ではなかったが、この世の中からちやほやされて来た婦人のように気まぐれで、過去のことばかりを考えて現在のことを少しも考えようとしない年寄りらしく、いかにも強欲で、我儘であった。彼女はあらゆる流行社会に頭を突っ込んでいたので、舞踏会にもしばしば行った。そうして、彼女は時代おくれの衣裳やお化粧をして、舞踏室になくてはならない不格好な飾り物のように、隅の方に席を占めていた。

舞踏室へはいって来た客は、あたかも一定の儀式ででもあるかのように彼女に近づいて、みな丁寧に挨拶するが、さてそれが済むと、もう誰も彼女の方へは見向きもしなかった。彼女はまた自分の邸で宴会を催す場合にも、非常に厳格な礼儀を固守していた。そのくせ、彼女はもう人びとの顔などの見分けはつかなかった。

夫人のたくさんな召使いたちは主人の次の間や自分たちの部屋にいる間にだんだん肥って、年をとってゆく代りに、自分たちの仕たい三昧のことをして、その上おたがいに公然と老伯爵夫人から盗みをすることを競争していた。そのなかで不幸なるリザヴェッタは家政の犠牲者であった。彼女は茶を淹れると、砂糖を使いすぎたと言って叱られ、小説を読んで聞かせると、こんなくだらないものをと言って、作者の罪が自分の上に降りかかって来る。夫人の散歩のお供をして行けば、やれ天気がどうの、舗道がどうのと言って、やつあたりの小言を喰う。給料は郵便貯金に預けられてしまって、自分の手にはいるということはほとんどない。ほかの人たちのような着物を買いたいと思っても、それも出来ない。特に彼女は社交界においては実にみじめな役廻りを演じていた。誰も彼も彼女を知ってはいるが、たれ一人として彼女に注目する者はなかった。

舞踏会に出ても、彼女はただ誰かに相手がない時だけ引っ張り出されて踊るぐらいなもので、貴婦人連も自分たちの衣裳の着くずれを直すために舞踏室から彼女を引っ張り出す時でもなければ、彼女の腕に手をかけるようなことはなかった。したがって、彼女はよく自己を知り、自己の地位をもはっきりと自覚していたので、なんとかして自分を救ってくれるような男をさがしていたのであるが、そわそわと日を送っている青年たちはほとんど彼女を問題にしなかった。しかもリザヴェッタは世間の青年たちが追い廻している、面の皮の厚い、心の冷たい、年頃の娘たちよりは百層倍も可愛らしかった。彼女は燦爛として輝いているが、しかも退屈な応接間からそっと忍び出て、小さな惨めな自分の部屋へ泣きにゆくこともしばしばあった。その部屋には一つの衝立と箪笥と姿見と、それからペンキ塗りの寝台があって、あぶら蠟燭が銅製の燭台の上に寂しくともっていた。

ある朝――それはこの物語の初めに述べた、かの士官たちの骨牌会から二日ほどの後で、これからちょうど始まろうとしている事件の一週間前のことであった。リザヴェッタ・イヴァノヴナは窓の近くで、刺繡台の前に腰をかけていながら、ふと街の方を眺めると、彼女は若い工兵隊の士官が自分のいる窓をじっと見上げているのに気がついたが、顔を俯向けてまたすぐに仕事をはじめた。それから五分ばかりのあと、彼女は再び街のほうを見おろすと、その青年士官は依然として同じ場所に立っていた。しかし、往来の士官に色眼などを使ったことのない彼女は、それぎり街のほうをも見ないで、二時間ばかりは首を下げたままで、刺繡をつづけていた。

そのうちに食事の知らせがあったので、彼女は立って刺繡の道具を片付けるときに、なんの気もなしにまたもや街のほうをながめると、青年士官はまだそこに立っていた。それは彼女にとってまったく意外であった。食後、彼女は気がかりになるので、またもやその窓へ行ってみたが、もうその士官の姿は見えなかった。――その後、彼女は、その青年士官のことを別に気にもとめていなかった。

それから二日を過ぎて、あたかも伯爵夫人と馬車に乗ろうとしたとき、彼女は再びその士官を見た。彼は毛皮の襟で顔を半分かくして、入り口のすぐ前に立っていたが、その黒い両眼は帽子の下で輝いていた。リザヴェッタはなんとも分からずにはっとして、馬車に乗ってもまだ身内がふるえていた。

散歩から帰ると、彼女は急いで例の窓ぎわへ行ってみると、青年士官はいつもの場所に立って、いつもの通りに彼女を見あげていた。彼女は思わず身を引いたが、次第に好奇心にかられて、彼女の心はかつて感じたことのない、ある感動に騒がされた。

このとき以来、かの青年士官が一定の時間に、窓の下にあらわれないという日は一日もなかった。彼と彼女のあいだには無言のうちに、ある親しみを感じて来た。いつもの場所で刺繍をしながら、彼女は彼の近づいて来るのをおのずからに感じるようになった。そうして顔を上げながら、彼女は一日ごとに彼を長く見つめるようになった。青年士官は彼女に歓迎されるようになったのである。彼女は青春の鋭い眼で、自分たちの眼と眼が合うたびに、男の蒼白い頬がにわかに紅(あか)らむのを見てとった。それから一週間目ぐらいになると、彼女は男に微笑を送るようにもなった。

トムスキイが彼の祖母の伯爵夫人に、友達の一人を紹介してもいいかと訊いたとき、この若い娘のこころは烈(はげ)しくとどろいた。しかしナルモヴが、工兵士官でないと聞いて、彼女は前後の考えもなしに、自分の心の秘密を気軽なトムスキイに洩らしてしまったことを後悔した。

ヘルマンはロシアに帰化したドイツ人の子で、父のわずかな財産を相続していた。かれは独立自尊の必要を固く心に沁み込まされているので、父の遺産の収入には手も触れないで、自分自身の給料で自活していた。したがって彼に、贅沢などは絶対に許されなかったが、彼は控え目がちで、しかも野心家であったので、その友人たちのうちには稀には極端な節約家の彼に散財させて、一夕の歓を尽くすようなこともあった。

彼は強い感情家であるとともに、非常な空想家であったが、堅忍不抜な性質が彼を若い人間にありがちな堕落におちいらせなかった。それであるから、肚では賭け事をやりたいと思っても、彼はけっして一枚の骨牌をも手にしなかった。彼にいわせれば、自分の身分では必要のない金を勝つために、必要な金をなくすことは出来ないと考えていたのである。しかも彼は骨牌のテーブルにつらなって、夜通しそこに腰をかけて、勝負の代るごとに自分のことのように心配しながら見ているのであった。

三枚の骨牌の物語は、彼の空想に多大な刺戟をあたえたので、彼はひと晩そのことばかりをかんがえていた。

「もしも……」と、次の朝、彼はセント・ペテルスブルグの街を歩きながら考えた。「もしも老伯爵夫人が彼女の秘密を僕に洩らしてくれたら……。もしも彼女が三枚の必勝の切り札を僕に教えてくれたら……。僕は自分の将来を試さずにはおかないのだが……。僕はまず老伯爵夫人に紹介されて、彼女に可愛がられなければ――彼女の恋人にならなければならない……。しかしそれはなかなか手間がかかるぞ。なにしろ相手は八十七歳だから……。ひょっとすると一週間のうちに、いや二日も経たないうちに死んでしまうかもしれない。三枚の骨牌の秘密も彼女とともに、この世から永遠に消えてしまうのだ。いったいあの話はほんとうかしら……。いや、そんな馬鹿らしいことがあるものか。経済、節制、努力、これが僕の三枚の必勝の切り札だ。この切り札で僕は自分の財産を三倍にすることが出来るのだ……。いや、七倍にもふやして、安心と独立を得るのだ」

こんな瞑想にふけっていたので、彼はセント・ペテルスブルグの目貫(めぬき)の街の一つにある古い建物の前に来るまで、どこをどう歩いていたのか気がつかなかった。街は、燦然(さんぜん)と輝いているその建物の玄関の前へ、次から次へとひき出される馬車の行列のために通行止めになっていた。その瞬間に、妙齢の婦人のすらりとした小さい足が馬車から舗道へ踏み出されたかと思うと、次の瞬間には騎兵士官の重そうな深靴や、社交界の人びとの絹の靴下や靴があらわれた。毛皮や羅紗の外套が玄関番の大男の前をつづいて通った。

ヘルマンは立ち停まった。

「どなたのお邸(やしき)です」と、彼は角のところで番人にたずねた。

「A伯爵夫人のお邸です」と、番人は答えた。

ヘルマンは飛び上がるほどにびっくりした。三枚の切り札の不思議な物語がふたたび彼の空想にあらわれて来た。彼はこの邸の前を往きつ戻りつしながら、その女主人公と彼女の奇怪なる秘密について考えた。

彼は遅くなって自分の質素な下宿へ帰ったが、長いあいだ眠ることが出来なかった。ようよう少しく眠りかけると、骨牌や賭博台や、小切手の束や、金貨の山の夢ばかり見た。彼は順じゅんに骨牌札に賭けると、果てしもなく勝ってゆくので、その金貨を掻きあつめ、紙幣をポケットに捻じ込んだ。

しかも翌あさ遅く眼をさましたとき、彼は空想の富を失ったのにがっかりしながら街へ出ると、いつの間にか伯爵夫人の邸の前へ来た。ある未知の力がそこへ彼を引き寄せたともいえるのである。彼は立ち停まって窓を見上げると、一つの窓から房ふさとした黒い髪の頭が見えた。その頭はおそらく書物か刺繍台の上にうつむいていたのであろう。と思う間に、その頭はもたげられ、生き生きとした顔と黒い二つのひとみが、ヘルマンの眼にはいった。

彼の運命はこの瞬間に決められてしまった。

三

リザヴェッタ・イヴァノヴナは彼女の帽子と外套をぬぐか脱がないうちに、伯爵夫人は彼女を呼んで、ふたたび馬車の支度をするように命じたので、馬車は玄関の前に牽き出された。そうして、夫人と彼女とはおのおのその席に着こうとした。二人の駆者が夫人を扶けて馬車へ入れようとする時、リザヴェッタはかの工兵士官が馬車の後にぴったりと身を寄せて立っているのを見た。——彼は彼女の手を摑んだ。あっと驚いて、リザヴェッタはどぎまぎしていると、次の瞬間にはもうその姿は消えて、ただ彼女の指のあいだに手紙が残されてあったのに気がついたので、彼女は急いでそれを手袋のなかに隠してしまった。

ドライヴしていても、彼女にはもう何も見えなかった。聞こえなかった。馬車で散歩に出たときには「今会ったかたはどなただ」とか、「この橋の名はなんというのだ」とか、「あの掲示板にはなんと書いてある」とか、絶えず訊くのが夫人の習慣になっていたが、なにしろ場合が場合であるので、きょうに限ってリザヴェッタはとかくに辻褄の合わないような返事ばかりするので、夫人はしまいに怒り出した。

「おまえ、どうかしていますね」と、夫人は呶鳴った。「おまえ、気は確かかえ。どうしたのです。わたしの言うことが聞こえないのですか。それとも分からないとでもお言いなのですか。お蔭さまで、わたしはまだ正気でいるし、呂律もちゃんと廻っているのですよ」

リザヴェッタには夫人の言葉がよく聞こえなかった。邸へ帰ると、彼女は自分の部屋へかけ込んで、手袋から彼の手紙を引き出すと、手紙は密封してなかった。読んでみると、それはドイツの小説の一字一句を訳して、そのままに引用した優しい敬虔な恋の告白であった。しかもリザヴェッタはドイツ語についてはなんにも知らなかったので、非常に嬉しくなってしまった。

それにもかかわらず、この手紙は彼女に大いなる不安を感じさせて来た。実際、彼女は生まれてから若い男と人目を忍ぶようなことをした経験は一度もなかったので、彼の大胆には驚かされもした。そこで、彼女は不謹慎な行為をした自分を責めるとともに、このさきどうしていいか分からなくなって来た。とにかく、もう窓ぎわに坐るのをやめて、彼に対して無関心な態度をとり、自分とこのうえ親しくしようとする男の欲望を断たせるのがよいか。あるいはその手紙を彼に返すか、または冷淡なきっぱりした態度で彼に拒絶の返事を書くべきであるか。彼女はまったく決断に迷ったが、それについて相談するような女の友達も、忠告をあたえてくれるような人もなかった。リザヴェッタはついに彼に返事を書くことに決めた。

彼女は自分の小さな机の前に腰をかけると、ペンと紙を取って、その文句を考えはじめた。そうして、書いては破り、書いては破りしたが、結局彼女が書いた文句は、あまりに男の心をそそり過ぎるか、あるいは素気（すげ）なくあり過ぎるかで、どうも思ったように書けなかった。それでもようようのことで、自分にも満足の出来るような二、三行の短い手紙を書くことが出来た。

――彼女はこう書いた。

「あなたのお手紙が高尚であるのと、あなたが軽率（けいそつ）な行為をもってわたくしをお辱（はずか）しめなさりたくないとおっしゃることを、わたくしは嬉しく存じます。しかし、わたくしたちの交際はほかの方法で始めなければなりません。わたくしはひとまずあなたのお手紙をお返し申しますが、どうぞ不躾（ぶしつけ）な仕業（しわざ）とお怨み下さりませぬよう、幾重にもお願い申します」

翌日、ヘルマンの姿があらわれるやいなや、刺繍の道具の前に坐っていたリザヴェッタは応接間へ行って、通風の窓をあけて、青年士官が感づいて拾いあげるに相違ないと思いながら、街の方へその手紙を投げた。

ヘルマンは飛んで行って、その手紙を拾い上げて、近所の菓子屋の店へ行った。密封した封筒を破ってみると、内には自分の手紙とリザヴェッタの返事がはいっていた。彼はこんなことだろうと予期していたので、家へ帰ると、さらにその計画について深く考えた。

それから三日の後、一人の晴れやかな眼をした娘が小間物屋から来たといって、リザヴェッタに一通の手紙をとどけに来た。リザヴェッタは何かの勘定の請求書でもあるのかと、非常に不安な心持ちで開封すると、たちまちヘルマンの手蹟に気がついた。

「間違えているのではありませんか」と、彼女は言った。「この手紙は私へ来たものではありません」

「いいえ、あなたへでございます」と、娘は抜け目のなさそうな微笑を浮かべながら答えた。「どうぞお読みなすって下さい」

リザヴェッタはその手紙をちらりと見ると、ヘルマンは会見を申し込んで来たのであった。

「まあ、そんなこと……」と、彼女はその厚かましい要求と、気違いのような態度にいよいよ驚かされた。「この手紙は私へのではありません」

そう言うと、彼女はそれを引き裂いてしまった。

「では、あなたへの手紙でないなら、なぜ引き裂いておしまいになったのでございます」と、娘は言った。「わたくしは頼まれたおかたに、そのお手紙をお返し申さなければなりません」

「もうこれから二度と再び手紙などを私のところへ持って来ないがようござんす。それから、あなたに使いを頼んだかたに、恥かしいとお思いなさいと言って下さい」と、リザヴェッタはその娘からやりこめられて、あわてながら言った。

しかしヘルマンは、そんなことで断念するような男ではなかった。毎日、彼は手を替え品をかえて、いろいろの手紙をリザヴェッタに送った。それからの手紙は、もうドイツ語の翻訳ではなかった。ヘルマンは感情の湧くがままに手紙を書き、彼自身の言葉で話しかけた。そこには彼の剛直な欲望と、おさえがたき空想の乱れとがあふれていた。

リザヴェッタはもうそれらの手紙を彼にかえそうとは思わなくなったばかりか、だんだんにその手紙の文句に酔わされて、とうとう返事を書きはじめた。そうして、彼女の返事は少しずつ長く、かつ愛情がこもっていって、ついには窓から次のような手紙を彼に投げあたえるようにもなった。

「今夕は大使館邸で舞踏会があるはずでございます。伯爵夫人はそれにおいでなさるでしょう。そうして、わたしたちはたぶん二時までそこにおりましょう。今夜こそは二人ぎりでお会いのできる機会でございます。伯爵夫人がお出ましになると、たぶんほかの召使いはみな外出してしまって、お邸にはスイス人のほかには誰もいなくなると思います。そのスイス人はきまって自分の部屋へ下がって寝てしまいます。それですから、十一時半ごろにおいでください。階段をまっすぐに昇っていらっしゃい。もし控えの間で誰かにお逢いでしたらば、伯爵夫人がいらっしゃるかとおたずねなさい。きっといらっしゃらないと言われましょうから、その時は仕方がございませんからいったん外出なすって下さい。十中の八九までは誰にもお逢いなさらないと存じます。――召使いたちがお邸におりましても、みんな一つ部屋に集まっていると思います。――次の間をおいでになったらば、左へお曲がりなすって、伯爵夫人の寝室までまっすぐにおいで下さると、寝室の衝立のうしろに二つのドアがございます。その右のドアの奥は、伯爵夫人がかつておはいりになったことのない私室になっておりますが、左のドアをおあけになると廊下がありまして、さらに螺旋形の階段をお昇りになると、わたくしの部屋になっております」

ヘルマンは指定された時刻の来るあいだ、虎のようにからだを顫わせていた。夜の十時ごろ、彼はすでに伯爵夫人邸の前へ行っていた。天気はひどく悪かった。風は非常に激しく吹いて、雨まじりの雪は大きい花びらを飛ばしていた。街燈は暗く、街は鎮まりかえっていた。憐れな老馬に牽かせてゆく橇の人が、こんな夜に迷っている通行人を怪しむように見返りながら通った。ヘルマンは外套で深く包まれていたので、風も雪も身に沁みなかった。

やっとのことで、伯爵夫人の馬車は玄関さきへ牽き出された。黒い毛皮の外套に包まれた、腰のまがった老夫人を、二人の馭者が抱えるようにして連れ出すと、すぐにそのあとから、温かそうな外套をきて、頭に新しい花の環を頂いたリザヴェッタが附き添って出て来た。馬車のドアがしまって、車は柔らかい雪の上を静かに馳せ去ると、門番は玄関のドアをしめて、窓は暗くなった。

ヘルマンは人のいない邸の近くを往きつ戻りつしていたが、とうとう街燈の下に立ちどまって時計を見ると、十一時を二十分過ぎていた。ちょうど十一時半になったときに、ヘルマンは邸の石段を昇って照り輝いている廊下を通ると、そこに番人は見えなかった。彼は急いで階段をあがって控え室のドアをあけると、一人の侍者がランプのそばで、古風な椅子に腰をかけながら眠っていたので、ヘルマンは跫音を忍ばせながらそのそばを通り過ぎた。応接間も食堂もまっ暗であったが、控え室のランプの光りが幽かながらもそこまで洩れていた。

ヘルマンは伯爵夫人の寝室まで来た。古い偶像でいっぱいになっている神龕には、金色のランプがともっていた。色のあせたふっくらした椅子と柔らかそうなクッションを置いた長椅子が、陰気ではあるがいかにも調和よく、部屋の中に二つずつ並んでいて、壁にはシナの絹が懸かっていた。一方の壁には、パリでルブラン夫人の描いた二つの肖像画の額が懸かっていたが、一枚はどっしりとした赭ら顔の四十ぐらいの男で、派手な緑色の礼服の胸に勲章を一つ下げていた。他の一枚は美しい妙齢の婦人で、鉤鼻で、ひたいの髪を巻いて、髪粉をつけた髪には薔薇の花が挿してあった。隅ずみには磁器製の男の牧人と女の牧人や、有名なレフロイの工場製の食堂用時計や、紙匣（はりぬきばこ）や、球転（ルーレット）（一種の賭博）の道具をはじめとして、モンゴルフィエールの軽気球や、メスメルの磁石が世間を騒がせた前世紀の終わりにはやった、婦人の娯楽用の玩具（おもちゃ）がたくさんにならべてあった。

ヘルマンは衝立（ついたて）のうしろへ忍んで行った。そのうしろには一つの小さい寝台があり、右の方には私室のドア、左の方には廊下へ出るドアがあった。そこで、彼は左の方のドアをあけると、果たして彼女の部屋へ達している小さい螺旋形の階段が見えた。――しかも彼は、引っ返してまっ暗な私室へはいって行った。

時はしずかに過ぎた。邸内は寂（せき）として鎮まり返っていた。応接間の時計が十二時を打つと、その音が部屋から部屋へと反響して、やがてまた森（しん）となってしまった。ヘルマンは火のないストーブに凭（よ）りながら立っていた。危険ではあるが、避け難き計画を決心した人のように、その心臓は規則正しく動悸（どうき）を打って、彼は落ちつき払っていた。

午前一時が鳴った。それから二時を打ったころ、彼は馬車のわだちの音を遠く聞いたので、われにもあらで興奮を覚えた。やがて馬車はだんだんに近づいて停まった。馬車の踏み段をおろす音がきこえた。邸の中がにわかにざわめいて、召使いたちが上を下へと走り廻りながら呼びかわす声が入り乱れてきこえたが、そのうちにすべての部屋には明かりがとぼされた。三人の古風な寝室係の女中が寝室へはいって来ると、間もなく伯爵夫人があらわれて、死んだ者のようにヴォルテール時代の臂掛け椅子に腰を落とした。ヘルマンは隙間から覗いていると、リザヴェッタ・イヴァノヴナが彼のすぐそばを通った。彼女が螺旋形の階段を急いで昇ってゆく跫音を聞いた刹那、彼の心臓は良心の苛責といったようなもののためにちくりと刺されるような気もしたが、そんな感動はすぐ消えて、彼の心臓はまたもとのように規則正しく動悸を打っていた。

伯爵夫人は姿見の前で着物をぬぎ始めた。それから、薔薇の花で飾った帽子を取って、髪粉を塗った仮髪をきちんと刈ってある白髪からはずすと、髪針が彼女の周囲の床にばらばらと散った。銀糸で縫いをしてある黄いろい繻子の着物は、彼女の脾れている足もとへ落ちた。

ヘルマンは彼女のお化粧の好ましからぬ秘密を残らず見とどけた。夫人はようように夜の帽子をかぶって、寝衣を着たが、こうした服装のほうが年相応によく似合うので、彼女はそんなに忌らしくも、醜くもなくなった。

普通のすべての年寄りのように、夫人は眠られないので困っていた。着物を着替えてから、彼女は窓ぎわのヴォルテール時代の臂掛け椅子に腰をかけると、召使いを下がらせた。蠟燭を消してしまったので、寝室にはただ一つのランプだけがともっていた。夫人は真っ黄と見えるような顔をして、締まりのない唇をもぐもぐさせながら、体をあちらこちらへ揺すぶっていた。彼女のどんよりした眼は心の空虚をあらわし、また彼女が体を揺すぶっているのは自己の意志で動かしているのではなく、神経作用の結果であることを誰でも考えるであろう。

突然この死人のような顔に、なんとも言いようのない表情があらわれて、唇の顫えも止まり、眼も活気づいて来た。夫人の前に一人の見知らぬ男が突っ立っていたからであった。

「びっくりなさらないで下さい。どうぞ、お驚きなさらないで下さい」と、彼は低いながらもしっかりした声で言った。「わたくしはあなたに危害を加える意志は少しもございません。ただ、あなたにお願いがあって参りました」

夫人は彼の言葉がまったく聞こえないかのように、黙って彼を見詰めていた。ヘルマンはこの女は聾だと思って、その耳の方へからだをかがめて、もう一度繰り返して言ったが、老夫人はやはり黙っていた。

「あなたは、わたくしの一生の幸福を保証して下さることがお出来になるのです」と、ヘルマンは言いつづけた。「しかも、あなたには一銭のご損害をお掛け申さないのです。わたくしはあなたが勝負に勝つ切り札をご指定なさることがお出来になるということを、聞いて知っておるのです」

こう言って、ヘルマンは言葉を切った。夫人がようやく自分の希望を諒解して、それに答える言葉を考えているように見えたからであった。

「それは冗談です」と、彼女は答えた。「ほんの冗談に言ったまでのことです」

「いいえ、冗談ではありません」と、ヘルマンは言い返した。「シャプリッツキイを覚えていらっしゃるでしょう。あなたはあの人に三枚の骨牌の秘密をお教えになって、勝負にお勝たせになりましたではありませんか」

夫人は明らかに不安になって来た。彼女の顔には烈しい心の動揺があらわれたが、またすぐに消えてしまった。

「あなたは三枚の必勝骨牌をご指定なされないのですね」と、ヘルマンはまた言った。

夫人は依然として黙っていたので、ヘルマンは更に言葉をつづけた。

「あなたは、誰にその秘密をお伝えなさるおつもりですか。あなたのお孫さんにですか。あの人たちは別にあなたに秘密を授けてもらわなくとも、有りあまるほどのお金持ちです。それだけに、あの人たちは金の価値を知りません。あなたの秘密は金使いの荒い人には、なんの益するところもありません。父の遺産を保管することの出来ないような人間は、たとい悪魔を手先に使ったにしても、結局はあわれな死に方をしなければならないのでしょう。わたくしはそんな人間ではございません。わたくしは金の値いというものをよく知っております。あなたもわたくしには、三枚の切り札の秘密をお拒みにはならないでしょう。さあ、いかがですか」

彼はひと息ついて、ふるえながらに相手の返事を待っていたが、夫人は依然として沈黙を守っているので、ヘルマンはその前にひざまずいた。

「あなたのお心が、いやしくも恋愛の感情を経験していられるならば……」と、彼は言った。「そうして、もしもその法悦をいまだに覚えていられるならば……。かりにもあなたがお産みになったお子さんの初めての声にほほえまれた事がおありでしたらば……。いやしくも人間としてのある感情が、あなたの胸のうちにお湧きになった事がおありでしたらば、わたくしは妻として、恋人として、母としての愛情におすがり申してお願い申します。どうぞ私のこの嘆願を斥けないで下さい。どうぞあなたの秘密をわたくしにお洩らし下さい。あなたにはもうなんのお入り用もないではありませんか。たといどんな恐ろしい罪を受けようとも、永遠の神の救いを失おうとも、悪魔とどんな取り引きをしようとも、わたくしはけっして厭いません。……考えて下さい。……あなたはお年を召しておられます。そんなに長くはこの世においでになられないお体です……わたくしはあなたの罪を自分のたましいに引き受ける覚悟でおります。どうぞあなたの秘密をわたくしにお伝え下さい。いい一人の男の幸福が、あなたのお手に握られているということを思い出してください。いいえ、わたくし一人ではありません、わたくしの子孫までがあなたを祝福し、あなたを聖者として尊敬するでしょう……」

夫人は一言も答えなかった。ヘルマンは立ち上がった。

「老いぼれの鬼婆め」と、彼は歯ぎしりしながら叫んだ。「よし。否応なしに返事をさせてやろう」

彼はポケットからピストルを把り出した。

それを見ると、夫人は再びその顔に烈しい感動をあらわして、射殺されまいとするかのように頭を振り、手を上げたかと思うと、うしろへそり返ったままに気を失った。

「さあ、もうこんな子供じみたくだらないことはやめましょう」と、ヘルマンは彼女の手をとりながら言った。「もうお願い申すのもこれが最後です。どうぞわたくしにあなたの三枚の切り札の名を教えて下さい。それとも、お忌ですか」

夫人は返事をしなかった。ヘルマンは彼女が死んだのを知った。

四

リザヴェッタ・イヴァノヴナは夜会服を着たままで、自分の部屋に坐って、深い物思いに沈んでいた。邸へ帰ると、彼女は忌いやながら自分の用をうけたまわりに来た部屋付きの召使いにむかって、着物はわたし一人で脱ぐからといって、早そうにそこを立ち去らせてしまった。そうして、ヘルマンが来ていることを期待しながら、また一面には来ていてくれないようにと望みながら、胸を躍らせて自分の部屋へ昇って行った。ひと目見ると、彼女は彼がいないことをさとった。そうして、彼に約束を守らないようにさせてくれた自分の運命に感謝した。彼女は着物も着かえずに腰をかけたままで、ちょっとの間に自分をこんなにも深入りさせてしまった今までの経過を考えた。

彼女が窓から初めて青年士官を見たときから三週間を過ぎなかった。――それにもかかわらず、彼女はすでに彼と文通し、男に夜の会見を許すようになった。彼女は男の手紙の終わりに書いてあったので、初めてその名を知ったぐらいで、まだその男と言葉を交したこともなければ、男の声も――今夜までは、その噂さえも聞いたことはなかった。ところが不思議なことには、今夜の舞踏会の席上で、ポーリン・N公爵の令嬢がいつになく自分と踊らなかったので、すっかり気を悪くしてしまったトムスキイが、おまえばかりが女ではないぞといった復讐的の態度で、リザヴェッタに相手を申し込んで、始めからしまいまで彼女とマズルカを踊りつづけた。その間、彼は絶えずリザヴェッタが工兵士官ばかりを贔屓にしていることをからかった挙げ句、彼女が想像している以上に、自分は深く立ち入って万事を知っているとまことしやかに言った。実際彼女は自分の秘密を彼に知られてしたった。

「どなたからそんなことをお聞きになりました」と、ほほえみながら彼女は訊いた。

「君の親しい人の友達からさ」と、トムスキイは答えた。「ある非常に有名な人からさ」

「では、その有名なかたというのは……」

「その人の名はヘルマンというのだ」

リザヴェッタは黙っていた。彼女の手足はまったく感覚がなくなった。

「そのヘルマンという男はね」と、トムスキイは言葉をつづけた。「ローマンチックの人物でね。ちょっと横顔がナポレオンに似ていて、たましいはメフィストフェレスだね。まあ、僕の信じているところだけでも、彼の良心には三つの罪悪がある……。おい、どうした。ひどく蒼い顔をしているじゃないか」

「わたくし、少し頭痛がしますので……。そこで、そのヘルマンとかおっしゃるかたは、どんなことをなさいましたの。お話をして下さいませんか」

「ヘルマンはね、自分のあるお友達に非常な不平をいだいているのだ。彼はいつも、自分がそのお友達の地位であったら、もっと違ったことをすると言っているが……。僕はどうもヘルマン自身が君におぼしめしがあると思うのだ。少なくとも、彼はその友達が君のことを話すときには、眼の色を変えて耳を傾けているからね」

「では、どこでそのかたはわたくしをご覧なすったのでしょう」

「たぶん教会だろう。それとも観兵式かな。……さあ、どこで見そめたかは神様よりほかには知るまいな。ひょっとしたら君の部屋で、君がねむっている間かもしれないぞ。とにかく、あの男ときたら……」

ちょうどその時に、三人の婦人が彼のところへ近づいて来て、「お忘れになって。それとも、覚えていらしった……」と、フランス語で問いかけたので、この会話はリザヴェッタをさんざん焦らしたままで、それなりになってしまった。

トムスキイが選んだ婦人はポーリン公爵令嬢その人であった。公爵令嬢はいくたびもトムスキイと踊っているうちに、彼とすっかり仲直りをして、踊りが済んだのちに彼は公爵令嬢を彼女の椅子に連れて行った。そうして自分の席へ戻ると、彼はもうヘルマンのことも、リザヴェッタのこともまったく忘れていた。リザヴェッタは中止された会話を再びつづけたく思ったが、マズルカもやがて終わって、そのうちに老伯爵夫人は帰ることになった。

トムスキイの言葉は、舞踏中によくあるならいの軽い無駄話に過ぎなかったが、この若い夢想家のリザヴェッタの心に深く沁み込んだ。トムスキイによってえがかれた半身像は、彼女自身の心のうちに描いていたものと一致していたのみならず、このいろいろのでたらめの話のお蔭で、彼女の崇拝者の顔に才能があらわれていることを知ると同時に、彼女の空想をうっとりとさせるような特長がさらに加わって来たのであった。彼女は今、露出した腕を組み、花の髪飾りを付けたままの頭を素肌の胸のあたりに垂れて坐っていた。

突然にドアがあいて、ヘルマンが現われたので、彼女ははっとした。

「どこにおいでなさいました」と、彼女はおどおどしながら声を忍ばせて訊いた。

「老伯爵夫人の寝室に……」と、ヘルマンは答えた。「わたしは今、伯爵夫人のところから来たばかりです。夫人は死んでいます」

「え。なんですって……」

「それですから、わたしは伯爵夫人の死の原因となるのを恐れているのです」と、ヘルマンは付け足した。

リザヴェッタは彼をながめていた。そうして、トムスキイの言葉が彼女の心の中でこう反響しているのに気がついた。「この男は少なくとも良心に三つの罪悪を持っているぞ！」

ヘルマンは彼女のそばの窓に腰をかけて、一部始終を物語った。

リザヴェッタは恐ろしさに顫えながら彼の話に耳をかたむけていた。今までの感傷的な手紙、熱烈な愛情、大胆な執拗な愛慾の要求——それらのものはすべて愛ではなかった。金——彼のたましいがあこがれていたのは金であった。貧しい彼女には彼の愛慾を満足させ、愛する男を幸福にすることは出来なかった。このあわれな娘は、盗人であり、かつは彼女の老いたる恩人の殺害者である男の盲目的玩具にほかならなかったのではないか。彼女は後悔のもだえに苦(にが)い涙をながした。

ヘルマンは沈黙のうちに彼女を見つめていると、彼の心もまたはげしい感動に打たれて来た。しかも、このあわれなる娘の涙も、悲哀のためにいっそう美しく見えてきた彼女の魅力も、彼のひややかなる心情を動かすことは出来なかった。彼は老伯爵夫人の死についても別に良心の呵責(かしゃく)などを感じなかった。ただ彼を悲しませたのは、一攫千金を夢みていた大切な秘密を失って、取り返しのつかないことをしたという後悔だけであった。

「あなたは人非人(ひとでなし)です」と、リザヴェッタはついに叫んだ。

「わたしだって夫人の死を望んではいなかった」と、ヘルマンは答えた。「私のピストルには装塡(たまごめ)をしていなかったのですからね」

二人は黙ってしまった。

夜は明けかかった。リザヴェッタが蠟燭の火を消すと、青白い光りが部屋へさし込んで来た。彼女は泣きはらした眼をふくと、ヘルマンのほうへ向いた。彼は腕組みをしながら、ひたいに残忍(ざんにん)な八の字をよせて、窓のきわに腰をかけていた。こうしていると、まったく彼はナポレオンに生き写しであった。リザヴェッタもそれを深く感じた。

「どうしてあなたをお邸からお出し申したらいいでしょう」と、彼女はようように口を開いた。「わたくしはあなたを秘密の階段からお降ろし申そうと思ったのですが、それにはどうしても伯爵夫人の寝室を通らなければならないので、わたくしには恐ろしくって……」

「どうすればその秘密の階段へ行けるか、教えて下さい。……わたしは一人で行きます」

リザヴェッタは起ち上がって、抽斗から鍵を取り出してヘルマンにわたして、階段へゆく道を教えた。ヘルマンは彼女の冷たい、力のない手を握りしめると、そのうつむいているひたいに接吻して、部屋を出て行った。

彼は螺旋形の階段を降りて、ふたたび伯爵夫人の寝室へはいった。死んでいる老夫人は化石したように坐っていて、その顔には底知れない静けさがあらわれていた。ヘルマンは彼女の前に立ちどまって、あたかもこの恐ろしい事実を確かめようとするかのように、長い間じっと彼女を見つめていたが、やがて彼は掛毛氈のうしろにあるドアをあけて小さい部屋にはいると、強い感動に胸を躍らせながら真っ暗な階段を降りかかった。

「たぶん……」と、彼は考えた。「六十年前にも今時分、縫い取りをした上着を着て、皇帝の鳥に髪を結った彼女の若い恋人が、三角帽で胸を押さえつけながら、伯爵夫人の寝室から忍び出て、この秘密の階段を降りて行ったことだろう。もうその恋人はとうの昔に墓のなかに朽ち果ててしまっているのに、あの老夫人は今日になってようよう息を引き取ったのだ」

その階段を降り切ると、ドアがあった。ヘルマンは例の鍵でそこをあけて、廻廊を通って街へ出た。

五

この不吉な夜から三日後の午前九時に、ヘルマンは――の尼寺に赴いた。そこで伯爵夫人の告別式が挙行されたのである。なんら後悔の情は起こさなかったが、「おまえがこの老夫人の下手人(げしゅにん)だぞ」という良心の声を、彼はどうしても抑(おさ)えつけることが出来なかった。彼は宗教に対して信仰などをいだいていなかったのであるが、今や非常に迷信的になってきて、死んだ伯爵夫人が自分の生涯に不吉な影響をこうむらせるかもしれないと信じられたので、彼女のおゆるしを願うためにその葬式に列席しようと決心したのであった。

教会には人がいっぱいであった。ヘルマンはようように人垣を分けて行った。柩(ひつぎ)はビロードの天蓋の下の立派な葬龕(ずし)に安置してあった。そのなかに故伯爵夫人はレースの帽子に純白の繻子(しゅす)の服を着せられ、胸に合掌(がっしょう)して眠っていた。葬龕の周囲には彼女の家族の人たちが立っていた。召使いらは肩に紋章入りのリボンを付けた黒の下衣（カフタン）を着て、手に蠟燭を持っていた。一族——息子たちや、孫たちやそれから曾孫（ひこ）たち——は、みな深い哀（かな）しみに沈んでいた。

誰も泣いているものはなかった。涙というものは一つの愛情である。しかるに、伯爵夫人はあまりにも年をとり過ぎていたので、彼女の死に心を打たれたものもなく、一族の人たちもとうから彼女を死んだ者扱いにしていたのである。

ある有名な僧侶が葬式の説教をはじめた。彼は単純で、しかも哀憐（あいれん）の情を起こさせるような言葉で、長いあいだキリスト教信者としての死を静かに念じていた彼女の平和な永眠を述べた。

「ついに死の女神は、信仰ふかき心をもってあの世の夫に一身を捧げていた彼女をお迎えなされました」と、彼は言った。

法会（ほうえ）はふかい沈黙のうちに終わった。一族の人びとは死骸に永別を告げるために進んでゆくと、そのあとから大勢（おおぜい）の会葬者もつづいて、多年自分たちのふまじめな娯楽の関係者であった彼女に最後の敬意を表した。彼らのうしろに伯爵夫人の邸（やしき）の者どもが続いた。その最後に伯爵夫人と同年輩ぐらいの老婆が行った。彼女は二人の女に手を取られて、もう老いぼれて地にひざまずくだけの力もないので、ただ二、三滴の涙を流しながら女主人の冷たい手に接吻した。

ヘルマンも柩のある所へ行こうと思った。彼は冷たい石の上にひざまずいて、しばらくそのままにしていたが、やがて伯爵夫人の死に顔と同じように真っ蒼になって起ちあがると、葬龕の階段を昇って死骸の上に身をかがめた――。その途端に、死んでいる夫人が彼をあざけるようにじろりと睨むとともに、一つの眼で何か目配せをしたように見えた。ヘルマンは思わず後ずさりするはずみに、足を踏みはずして地に倒れた。二、三人が飛んで来て、彼を引き起こしてくれたが、それと同時に、失神したリザヴェッタ・イヴァノヴナも教会の玄関へ運ばれて行った。

この出来事がすこしのあいだ、陰鬱な葬儀の荘厳をみだした。一般会葬者のあいだからも低い呟き声が起こって来た。背丈の高い、痩せた男で、亡き人の親戚であるという侍従職がそばに立っている英国人の耳もとで「あの青年士官は伯爵夫人の私生児ですよ」とささやくと、その英国人はどうでもいいといった調子で、「へえ！」と答えていた。

その日のヘルマンは終日、不思議に興奮していた。場末の料理屋へ行って、常になく彼はしたたかに酒をあおって、内心の動揺をぬぐい去ろうとしたが、酒はただいたずらに彼の空想を刺戟するばかりであった。家へかえると、かれは着物を着たままで、ベッドの上に身を投げ出して、深い眠りに落ちてしまった。

彼が眼をさました時は、もう夜になっていたので、月のひかりが部屋のなかへさし込んでいた。時計をみると三時を十五分過ぎていた。もうどうしても寝られないので、彼はベッドに腰をかけて、老伯爵夫人の葬式のことを考え出した。

あたかもそのとき何者かが往来からその部屋の窓を見ていたが、またすぐに通り過ぎた。ヘルマンは別に気にもとめずにいると、それからまた二、三分の後、控えの間のドアのあく音がきこえた。ヘルマンはその伝令下士がいつものように、夜遊びをして酔っ払って帰って来たものと思ったが、どうも聞き慣れない跫音(あしおと)で、誰かスリッパを穿(は)いて床の上をそっと歩いているようであった。ドアがあいた。

――と思うと、真っ白な着物をきた女が部屋にはいって来た。ヘルマンは自分の老いたる乳母と勘違いをして、どうして真夜中に来たのであろうと驚いていると、その白い着物の女は部屋を横切って、彼の前に突っ立った。――ヘルマンはそれが伯爵夫人であることに気がついた。

「わたしは不本意ながらあなたの所へ来ました」と、彼女はしっかりした声で言った。「わたしはあなたの懇願を容(い)れてやれと言いつかったのです。三、七、一の順に続けて賭けたなら、あなたは勝負に勝つでしょう。しかし二十四時間内にたった一回より勝負をしないということと、生涯に二度と骨牌の賭けをしないという条件を守らなければなりません。それから、あなたがわたしの附き添い人のリザヴェッタ・イヴァノヴナと結婚して下されば、私はあなたに殺されたことを赦(ゆる)しましょう」

こう言って、彼女は静かにうしろを向くと、足を引き摺るようにドアの方へ行って、たちまちに消えてしまった。ヘルマンは表のドアのあけたてする音を耳にしたかと思うと、やがてまた、何者かが窓から覗いているのを見た。

ヘルマンはしばらく我れに復(かえ)ることが出来なかったが、やっとのことで起ち上がって次の間へ行ってみると、伝令下士は床(ゆか)の上に横たわって眠っていたので、さんざん手古摺(てこず)った挙げ句にようやく眼をさまさせて、表のドアの鍵をかけさせた。彼は自分の部屋にもどって、蠟燭をつけて、自分が幻影を見たことを細かに書き留めておいた。

六

精神界において二つの固定した想念(アイデア)が共存するということは、物質界において二つの物体が同時に同じ場所に存在する事と同じように不可能である。「三、七、一」の秘伝は、すぐにヘルマンの心から死んだ伯爵夫人の思い出を追いのけてしまって、彼の頭のなかを間断なく駈け廻っては彼の口によって繰り返されていた。

もし若い娘でも見れば、彼は「よう、なんて美しいんでしょう。まるでハートの三そっくりだ」と言うであろう。また、もし誰かが「いま何時でしょうか」と訊いたとしたら、彼は「七時五分過ぎ」と答えるであろう。それからまた、丈夫そうな人たちに出逢ったときには彼はすぐに一の字を思い出した。「三、七、一」の字は寝ていても彼の脳裏に出没して、あらゆる形となって現われた。

彼の目の前には三の切り札が爛漫たる花となって咲き乱れ、七の切り札はゴシック式の半身像となり、一の切り札は大きい蜘蛛となって現われた。そうして、ただ一つの考え――こんなにも高価であがなった以上、この秘密を最も有効に使用しようということばかりが彼の心をいっぱいに埋めていた。彼は賜暇を利用して外遊して、パリにたくさんある公営の賭博場へ行って運試しをやろうと考えた。ところが、そんな面倒なことをするまでもなく、彼にとっていい機会が到来した。

モスクワには、有名なシェカリンスキイが元締をしている富豪連の賭博の会があった。このシェカリンスキイはその全生涯を賭博台の前に送りながら何百万の富を築き上げたという人間で、自分が勝てば手形で受け取り、負ければ現金で即座に支払っていた。彼は自分の長いあいだの経験によって仲間からも信頼せられ、彼のあけっ放しの家と、彼の腕利きの料理人と、それから彼が人をそらさぬ態度とによって、一般の人びとから尊敬のまとになっていた。その彼がセント・ペテルスブルグにやって来たので、この首府の若い人びとは舞踏や、女を口説きおとすことなどはそっちのけにして、ファロー（指定の骨牌一組のうちから出て来る順序を当てる一種の賭け骨牌）に耽溺せんがために、みなその部屋に集まって来た。

かれらは慇懃な召使いの大勢立っている立派な部屋を通って行った。賭博場は人でいっぱいであった。将軍や顧問官はウィスト（四人でする一種の賭け骨牌）を試みていた。若い人びとはビロード張りの長椅子にだらしなく倚りながら氷菓子を食べたり、煙草をくゆらしたりしていた。応接間では、賭けをするひと組の連中が取り巻いている長いテーブルの上席にシェカリンスキイが坐って元締をしていた。

彼は非常に上品な風采の五十がらみの男で、頭髪は銀のように白く、そのむっくりと肥った血色のいい顔には善良の性があらわれ、その眼は間断なく微笑にまたたいていた。ナルモヴは彼にヘルマンを引き合わせた。シェカリンスキイは十年の知己のごとくにヘルマンの手を握って、どうぞご遠慮なくと言ってから、骨牌を配りはじめた。

その勝負はしばらく時間をついやした。テーブルの上には三十枚以上の切り札が置いてあった。シェカリンスキイは骨牌を一枚ずつ投げては少しく間を置いて、賭博者に持ち札を揃えたり、負けた金の覚え書きなどをする時間をあたえ、一方には賭博者の要求に対していちいち慇懃に耳を傾け、さらに賭博に沈黙を守りながら、賭博者の誰かが何かの拍子に手で曲げてしまった骨牌の角を伸ばしたりしていた。やがて、その勝負は終わった。シェカリンスキイは骨牌を切って、再び配る準備をした。

「どうぞ私にも一枚くださいませんか」と、ヘルマンは勝負をしている一人の男らしい紳士のうしろから手を差し伸べて言った。

　シェカリンスキイは微笑を浮かべると、承知しましたという合図に静かに頭を下げた。ナルモヴは笑いながら、ヘルマンが長いあいだ守っていた――骨牌を手にしないという誓いを破ったことを祝って、彼のために幸先のいいように望んだ。

「張った」と、ヘルマンは自分の切り札の裏に白墨で何か印を書きながら言った。

「おいくらですか」と、元締が眼を細くしてたずねた。「失礼ですが、わたくしにはよく見えませんので……」

「四万七千ルーブル」と、ヘルマンは答えた。

　それを聞くと、部屋じゅうの人びとは一斉に振りむいて、ヘルマンを見つめた。

「こいつ、どうかしているぞ」と、ナルモヴは思った。

「ちょっと申し上げておきたいと存じますが……」と、シェカリンスキイが、例の微笑を浮かべながら言った。「あなたのお賭けなさる金額は多過ぎはいたしませんでしょうか。

今までにここでは、一度に二百七十五ルーブルよりお張りになったかたはございませんが……」

「そうですか」と、ヘルマンは答えた。「では、あなたはわたくしの切り札をお受けなさるのですか、それともお受けなさらないのですか」

シェカリンスキイは同意のしるしに頭を下げた。

「ただわたくしはこういうことだけを申し上げたいと思うのですが……」と、彼は言った。「むろん、わたくしは自分のお友達のかたがたを十分信用してはおりますが、これは現金で賭けていただきたいのでございます。わたくし自身の立ち場から申しますと、実際あなたのお言葉だけで結構なのでございますが、賭け事の規定から申しましても、また、計算の便宜上から申しましても、お賭けになる金額をあなたの札の上に置いていただきたいものでございます」

ヘルマンはポケットから小切手を出して、シェカリンスキイに渡した。彼はそれをざっと調べてからヘルマンの切り札の上に置いた。

それから彼は骨牌を配りはじめた。右に九の札が出て、左には三の札が出た。

「僕が勝った」と、ヘルマンは自分の切り札を見せながら言った。

驚愕のつぶやきが賭博者たちのあいだから起こった。シェカリンスキイは眉をひそめたが、すぐにまた、その顔には微笑が浮かんできた。

「どうか清算させていただきたいと存じますが……」と、彼はヘルマンに言った。

「どちらでも……」と、ヘルマンは答えた。

シェカリンスキイはポケットからたくさんの小切手を引き出して即座に支払うと、ヘルマンは自分の勝った金を取り上げて、テーブルを退いた。ナルモヴがまだ茫然としている間に、彼はレモネードを一杯飲んで、家へ帰ってしまった。

翌日の晩、ヘルマンは再びシェカリンスキイの家へ出かけた。主人公はあたかも切り札を配っていたところであったので、ヘルマンはテーブルの方へ進んで行くと、勝負をしていた人たちは直ちに彼のために場所をあけた。シェカリンスキイは丁寧に挨拶した。

ヘルマンは次の勝負まで待っていて、一枚の切り札を取ると、その上にゆうべ勝った金と、自分の持っていた四万七千ルーブルとを一緒に賭けた。

シェカリンスキイは骨牌を配りはじめた。右にジャックの一が出て、左に七の切り札が出た。

ヘルマンは七の切り札を見せた。

一斉に感嘆の声が湧きあがった。シェカリンスキイは明らかに不愉快な顔をしたが、九万四千ルーブルの金額をかぞえて、ヘルマンの手に渡した。ヘルマンは出来るだけ冷静な態度で、その金をポケットに入れると、すぐに家へ帰った。

次の日の晩もまた、ヘルマンは賭博台にあらわれた。人びとも彼の来るのを期待していたところであった。将軍や顧問官も実に非凡なヘルマンの賭けを見ようというので、自分たちのウイストの賭けをやめてしまった。青年士官らは長椅子を離れ、召使いたちまでがこの部屋へはいって来て、みなヘルマンのまわりに押し合っていた。勝負をしていたほかの連中も賭けをやめて、どうなることかと、もどかしそうに見物していた。

ヘルマンはテーブルの前に立って、相変わらず微笑(ほほえ)んではいるが蒼い顔をしているシェカリンスキイと、一騎打ちの勝負をする準備をした。新しい骨牌の封が切られた。シェカリンスキイは札を切った。ヘルマンは一枚の切り札を取ると、小切手の束でそれを掩(おお)った。二人はさながら決闘のような意気込みであった。深い沈黙が四方を圧した。

シェカリンスキイの骨牌を配り始める手はふるえていた。右に女王が出た。左に一の札が出た。

「一が勝った」と、ヘルマンは自分の札を見せながら叫んだ。

「あなたの女王が負けでございます」と、シェカリンスキイは慇懃に言った。

ヘルマンはハッとした。一の札だと思っていたのが、いつの間にかスペードの女王になっているではないか。

彼は自分の眼を信じることも、どうしてこんな間違いをしたかを理解することも出来なかった。途端に、そのスペードの女王が皮肉な冷笑を浮かべながら、自分の方に眼配せしているように見えた。その顔が彼女に生き写しであるのにぎょっとした。

「老伯爵夫人だ」と、彼は恐ろしさのあまりに思わず叫んだ。

シェカリンスキイは自分の勝った金を掻き集めた。しばらくのあいだ、ヘルマンは身動き一つしなかったが、やがて彼がテーブルを離れると、部屋じゅうが騒然と沸き返った。

「実に見事な勝負だった」と、賭博者たちは称讃した。シェカリンスキイは新しく骨牌を切って、いつものように勝負を始めた。


ヘルマンは発狂した。そうして今でもなお、オブコフ病院の十七号病室に監禁されている。彼はほかの問いには返事をしないが、絶えず非常な早口で「三、七、一！」「三、七、一！」とささやいているのであった。

リザヴェッタ・イヴァノヴナは、老伯爵夫人の以前の執事の息子で前途有望の青年と結婚した。その男はどこかの県庁に奉職して、かなりの収入を得ているが、リザヴェッタはやはり貧しい女であることに甘んじている。

トムスキイは大尉級に昇進して、ポーリン公爵令嬢の夫となった。

妖物（ダムドシング）

ビヤース

ビヤース Ambrose Bierce

一八四二年、米国オハイオ州に生まる。雑誌記者、小説家。一九一四年以来ゆくえ不明となりて、その消息を知らず。

一

粗木(あらき)のテーブルの片隅に置かれてあるあぶら蠟燭の光りを頼りに、一人の男が書物に何か書いてあるのを読んでいた。それはひどく摺り切れた古い計算帳で、その男は燈火(あかり)によく照らして視るために、時どきにそのページを蠟燭の側へ近寄せるので、火をさえぎる書物の影が部屋の半分をおぼろにして、そこにいる幾人かの顔や形を暗くした。書物を読んでいる男のほかに、そこには八人の男がいるのである。

そのうちの七人は動かず、物言わず、あらけずりの丸太の壁にむかって腰をかけていたが、部屋が狭いので、どの人もテーブルから遠く離れていなかった。かれらが手を伸ばせば八人目の男のからだに触れることが出来るのである。その男というのは、顔を仰向けて、半身を敷布(シーツ)におおわれて、両腕をからだのそばに伸ばして、テーブルの上に横たわっていた。彼は死んでいるのである。

書物にむかっている男は声を出して読んでいるのではなかった。ほかの者も口をきかなかった。すべての人が来たるべき何事かを待っている様子で、死んだ人ばかりが待つこともなしに眠っているのである。外は真の闇で、窓の代りにあけてある壁の穴から荒野の夜の聞き慣れないひびきが伝わって来た。遠くきこえる狼のなんともいえないように長い尾をひいて吠える声、木立ちのなかで休みなしに鳴く虫の静かに浪打つようなむせび声、昼の鳥とはまったく違っている夜鳥の怪しい叫び声、めくら滅法界に飛んでくる大きい甲虫の唸り声、殊にこれらの小さい虫の合奏曲が突然やんで半分しかきこえない時には、なにかの秘密を覚らせるようにも思われた。

しかし、ここに集まっている人びとはそんなことを気にとめる者もなかった。ここの一団が実際的の必要を認めないことに興味を有していないのは、たった一つの暗い蠟燭に照らされている、かれらの粗野なる顔つきをみても明らかであった。かれらは皆この近所の人びと、すなわち農夫や樵夫であった。

書物を読んでいる人だけは少し違っていた。人は彼をさして、世間を広くわたって来た人であると言っているが、それにもかかわらず、その風俗は周囲の人びとと同じ仲間であることを証明していた。彼の上衣はサンフランシスコでは通用しそうもない型で、履き物も町で作られた物ではなく、自分のそばの床に置いてある帽子——この中で帽子をかぶっていないのは彼一人である——は、もしも単にそれを人間の装飾品と考えたらば大間違いになりそうな代物であった。彼の容貌は職権を有する人に適当するように、自然に馴らされたのか、あるいは強いて粧っているのか知らないが、一方に厳正を示すとともに、むしろ人好きのするようなふうであった。なぜというに、彼は検屍官である。彼がいま読んでいる書物を取り上げたのもその職権に因るもので、書物はこの事件を取り調べているうちに死人の小屋の中から発見されたのであった。審問は今この小屋で開かれている。

検屍官はその書物を読み終わって、それを自分のポケットに入れた。その時に入り口の戸が押しあけられて、一人の青年がはいって来た。彼は明らかにここらの山家に生まれた者ではなく、ここらに育った者でもなく、町に住んでいる人びとと同じような服装をしていた。しかも遠路を歩いて来たように、その着物は埃だらけになっていた。実際、彼は審問に応ずるために、馬を飛ばして急いで来たのであった。

それを見て、検屍官は会釈したが、ほかの者は誰も挨拶しなかった。

「あなたの見えるのを待っていました」と、検屍官は言った。「今夜のうちにこの事件を片付けてしまわなければなりません」

青年はほほえみながら答えた。

「お待たせ申して相済みません。私は外へ出ていました。……あなたの喚問を避けるためではなく、その話をするために、たぶん呼び返されるだろうと思われる事件を原稿に書いて、わたしの新聞社へ郵送するために出かけたのです」

検屍官も微笑した。

「あなたが自分の新聞社へ送ったという記事は、おそらくこれから宣誓の上でわれわれに話していただくこととは違いましょう」

「それはご随意に」と、相手はやや熱したように、その顔を紅くして言った。「わたしは複写紙を用いて、新聞社へ送った記事の写しを持って来ました。しかし、それが信用できないような事件であるので、普通の新聞記事のようには書いてありません、むしろ小説体に書いてあるのですが、宣誓の上でそれを私の証言の一部と認めていただいてよろしいのです」

「しかし、あなたは信用できないというではありませんか」

「いや、それはあなたに係り合いのないことで、わたしが本当だといって宣誓すればいいのでしょう」

検屍官はその眼を床の上に落として、しばらく黙っていると、小屋のなかにいる他の人びとは小声で何か話し始めたが、やはりその眼は死骸の上を離れなかった。検屍官はやがて眼をあげて宣告した。

「それではふたたび審問を開きます」

人びとは脱帽した。証人は宣誓した。

「あなたの名は……」と、検屍官は訊いた。

「ウィリアム・ハーカー」

「年齢は……」

「二十七歳」

「あなたは死人のヒュウ・モルガンを識っていますか」

「はい」

「モルガンの死んだ時、あなたも一緒にいましたか」

「そのそばにいました」

「あなたの見ている前でどんなことがありましたか。それをお訊ね申したいのです」

「わたくしは銃猟や魚釣りをするために、ここへモルガンを尋ねて来たのです。もっとも、そればかりでなく、わたくしは彼について、その寂しい山村生活を研究しようと思ったのです。彼は小説の人物としてはいいモデルのように見えました。わたくしは時どきに物語をかくのです」

「わたしも時どきに読みますよ」

「それはありがとうございます」

「いや、一般のストーリーを読むというので……。あなたのではありません」

陪審官のある者は笑い出した。陰惨なる背景に対して、ユーモアは非常に明かるい気分をつくるものである。戦闘中の軍人はよく笑い、死人の部屋における一つの冗談はよくおどろきに打ち勝つことがある。

「この人の死の状況を話してください」と、検屍官は言った。「あなたの随意に、筆記帳でも控え帳でもお使いなすってよろしい」

証人はその意を諒して、胸のポケットから原稿をとり出した。彼はそれを蠟燭の火に近寄せて、自分がこれから読もうとするところを見いだすまで、その幾枚を繰っていた。

二

――われらがこの家を出たる時、日はいまだ昇らざりき。われらは鶉を猟らんがために、手に手に散弾銃をたずさえて、ただ一頭の犬をひけり。

最もよき場所は畔を越えたるところに在り、とモルガンは指さして教えたれば、われらは低き槲の林をゆき過ぎて、草むらに沿うて行きぬ。路の片側にはやや平らかなる土地ありて、野生の燕麦をもって深く掩われたり。われらが林を出て、モルガンは五、六ヤードも前進せる時、やや前方に当たれる右側のすこしく隔たりたるところに、獣のたぐいが藪を突き進むがごときひびきを聞けり。その響きは突然に起こりて、草木のはげしく動揺するを見たり。

「われらは鹿を狩りいだしぬ。かくと知らば旋条銃を持ち来たるべかりしに……」と、われは言いぬ。

モルガンは歩みを停めて、動揺する林を注意深く窺いいたり。彼は何事をも語らざりき。しかも、その銃の打ち金をあげて、何物をか狙うがごとくに身構えせり。焦眉の急がにわかに迫れる時にも、彼は甚だ冷静なるをもって知られたるに、今や少しく興奮せる体を見て、われは驚けり。

「や、や」と、われは言いぬ。「鶉撃つ銃をもて鹿を撃つべくもあらず。君はそれをこころみんとするか」

彼はなお答えざりき。しかもわがかたへ少しく振り向きたる時、われはその顔色の励しきに甚だしくおびやかされたり。かくてわれは、容易ならざる仕事がわれらの目前に横たわれることを覚りぬ。おそらく灰色熊を狩り出したるにあらずやと、われはまず推量して、モルガンのほとりに進み寄り、おなじくわが銃の打ち金をあげたり。

藪のうちは今や鎮(しず)まりて、物の響きもやみたれど、モルガンは前のごとくにそこを窺いいるなり。

「何事にや。何物にや」と、われは問いぬ。

「妖物(ダムドシング)?」と、彼は見かえりもせずに答えぬ。その声は怪しくうら嗄(が)れて、かれは明らかにおののけり。

彼は更に言わんとする時、近きあたりの燕麦がなんとも言い分け難き不思議のありさまにて狂い騒ぐを見たり。それは風の通路にあたりて動揺するがごとく、麦は押し曲げらるのみならず、押し倒され、押し挫(ひし)がれて、ふたたび起きも得ざりき。しかも、その風のごとき運動は徐(じょ)じょにわがかたへも延長し来たれるなり。

この見馴れざる不可解の現象ほど、われに奇異の感を懐(いだ)かしめたることはかつてなかりき。しかもわれはなお、それに対して恐怖の念を起こすにいたらざりき。われはかくの如くに記憶す。——たとえば、開かれたる窓より何心なしに表をながめたる時、目前にある小さき立ち木を遠方にある大木の林の一本と見誤まることあり。それは遠方の大木と同様の大きさに見ゆれど、しかもその量(かさ)においても、その局部においても、後者とはまったく一致せざるはずなり。要するに、大気中における遠近錯覚に過ぎざるなれど、一時は人を驚かし、人を恐れしむることあり。われらは最も見馴れたる自然の法則の、最も普通なる運用を信頼し、そのあいだになんらかの疑うべきものあるを見れば、直ちにそれをもってわれらの安全をおびやかすか、あるいは不思議なる災厄の予報と認むるを常とす。されば、今や草むらが理由なくして動揺し、その動揺の一線が迷うことなくおもむろに進行し来たるをみれば、たとい恐怖を感ぜざるまでも、確かに不安を感ぜざるを得ざるなり。

わが同伴者は実際に恐怖を感じたるがごとく、あわやと見る間に、彼は突然その銃を肩のあたりに押し当てて、ざわめく穀物にむかって二発を射撃したり。その弾けむりの消えやらぬうちに、われは野獣の吼ゆるがごとき獰猛なる叫び声を高く聞けり。モルガンはその銃を地上に投げ捨てて、跳り上がって現場より走り退きぬ。それと同時に、われはある物の衝突によって地上に激しく投げ倒されたり。煙りにさえぎられて確かに見えざりしが、柔らかく、しかも重き物体が大いなる力をもってわれに衝突したりしと覚ゆ。

われは再び起きあがりて、わが手より取り落としたる銃を拾い上げんとする前に、モルガンが今や最期かとも思わるる苦痛の叫びをあぐるを聞けり。さらにまた、その叫び声にまじりて、闘える犬の唸るがごとき皺枯れたる凄まじき声をも聞けり。異常の恐怖に襲われて、われはあわてて跳ね起きつつモルガンの走り行きたる方角を打ち見やれば、ああ、二度とは見まじき怖ろしの有様なりしよ。三十ヤードとは隔てざる処に、わが友は片膝を突いてありき。その頭は甚だしき角度にまでのけぞりて、その長き髪はかき乱され、その全身は右へ左へ、前へうしろへ、激しく揺られつつあるなり。その右の腕は高く挙げられたれど、わが眼にはその手先はなきように見えたり。左の腕はまったく見えざりき。わが記憶によれば、この時われはその身体の一部を認めたるのみにて、他の部分はさながら暈されたるように見えしと言うのほかなかりき。やがてその位置の移動によりて、すべての姿は再び我が眼に入れり。

かく言えばとて、それらはわずかに数秒時間の出来事に過ぎず。そのあいだにもモルガンはおのれよりも優れたる重量と力量とに圧倒されんとする、決死の力者のごとき姿勢を保ちつつありき。しかも、彼のほかには何物をも認めず、彼の姿もまた折りおりには定かならざることありき。彼の叫びと呪いの声は絶えず聞こえたれど、その声は人とも獣とも分かぬ一種の兇暴獰悪の唸り声に圧せられんとしつつあるなり。

われは暫くなんの思案もなかりしが、やがてわが銃をなげ捨てて、わが友の応援に馳せむかいぬ。われはただ漠然と、彼はおそらく逆上せるか、あるいは痙攣を発せるならんと想像せるなり。しかもわが走り着く前に、彼は倒れて動かずなりぬ。すべての物音は鎮まりぬ。しかもこれらの出来事なくとも、われを恐れしむることありき。

われは今や再びかの不可解の運動を見たり。野生の燕麦は風なきに乱れ騒ぎて、眼にみえざる動揺の一線は俯伏しに倒れている人を越えて、踏み荒らされたる現場より森のはずれへ、しずかに真っ直ぐにすすみゆくなり。それが森へと行き着くを見おくり果てて、さらにわが同伴者に眼を移せば——彼はすでに死せり。

三

検屍官はわが席を離れて、死人のそばに立った。彼は敷布のふちを把って引きあげると、死人の全身はあらわれた。死体はすべて赤裸で、蠟燭のひかりのもとに粘土色に黄いろく見えた。しかも明らかに打撲傷による出血と認められる青黒い大きい汚点が幾カ所も残っていた。胸とその周囲は棍棒で殴打されたように見られた。ほかに怖ろしい引っ搔き疵もあって、糸のごとく、または切れ屑のごとくに裂かれていた。

検屍官は更にテーブルのはしへ廻って、死体の頤から頭の上にかかっている絹のハンカチーフを取りはずすと、咽喉がどうなっているかということが露われた。陪審官のある者は好奇心にかられて、それをよく見定めようとして起ちかかったのもあったが、彼らはたちまちに顔をそむけてしまった。証人のハーカーは窓をあけに行って、わずらわしげに悩みながら窓台に倚りかかっていた。死人の頸にハンカチーフを置いて、検屍官は部屋の隅へ行った。彼はそこに積んである着物のきれはしをいちいちに取り上げて検査すると、それはずたずたに引き裂かれて、乾いた血のために固くなっていた。陪審官はそれに興味を持たないらしく、近寄って綿密に検査しようともしなかった。彼らは先刻すでにそれを見ているからである。彼らにとって新しいのは、ハーカーの証言だけであった。

「皆さん」と、検屍官は言った。「わたくしの考えるところでは、最早ほかに証拠はあるまいと思われます。あなたがたの職責はすでに証明した通りであるから、この上に質問するようなことがなければ、外へ出てこの評決をお考えください」

陪審長が起ちあがった。粗末な服を着た、六十ぐらいの、髯の生えた背丈の高い男であった。

「検屍官どのに一言おたずね申したいと思います」と、彼は言った。「その証人は近ごろどこの精神病院から抜け出して来たのですか」

「ハーカー君」と、検屍官は重おもしく、しかもおだやかに言った。「あなたは近ごろどこの精神病院を抜け出して来たのですか」

ハーカーは烈火のごとくになったが、しかしなんにも言わなかった。もちろん、本気で訊くつもりでもないので、七人の陪審官はそのままに列をなして、小屋の外へ出て行ってしまった。検屍官とハーカーと、死人とがあとに残された。

「あなたは私を侮辱するのですか」と、ハーカーは言った。「私はもう勝手に帰ります」

「よろしい」

ハーカーは行こうとして、戸の掛け金に手をかけながら、また立ちどまった。彼が職業上の習慣は、自己の威厳を保つという心持ちよりも強かったのである。彼は振り返って言った。

「あなたが持っている書物は、モルガンの日記だと思います。あなたはそれに多大の興味を有していられるようで、わたしが証言を陳述している間にも読んでいられました。わたしにもちょっと見せていただけないでしょうか。おそらく世間の人びともそれを知りたいと思うでしょうから……」

「いや、この書物にはこの事件に関するなんの形をもとどめていません」と、検屍官はそれを上衣(うわぎ)のポケットに滑(すべ)り込ませた。「これにある記事はみんな本人の死ぬ前に書いたものです」

ハーカーが出て行ったあとへ、陪審官らは再びはいって来て、テーブルのまわりに立った。そのテーブルの上には、かの掩(おお)われたる死体が、敷布(シーツ)の下に行儀よく置かれてあった。陪審長は胸のポケットから鉛筆と紙きれを把(と)り出して、念入りに次の評決文を書くと、他の人びともみな念を入れて署名した。

――われわれ陪審官はこの死体はマウンテン・ライオン（豹の一種）の手に因(よ)って殺されたるものと認む。但(ただ)し、われわれのある者は、死者が癲癇(てんかん)あるいは痙攣のごとき疾病を有するものと思考し、一同も同感なり。

四

ヒュウ・モルガンが残した最後の日記は確かに興味ある記録で、おそらく科学的の暗示を与えるものであろう。その死体検案の場合に、日記は証拠物として提示されなかった。検屍官はたぶんそんなものを見せることは、陪審官の頭を混乱させるに過ぎないと考えたらしい。日記の第一項の日付けははっきりせず、その紙の上部は引き裂かれていたが、残った分には次のようなことが記されている。

――犬はいつでも中心の方へ頭をむけて、半円形に駈けまわる。そうして、ふたたび静かに立って激しく吠える。しまいには出来るだけ早く藪の方へ駈けてゆく。はじめはこの犬め、気が違ったのかと思ったが、家へ帰って来ると、おれの罰を恐れている以外に別に変わった様子も見せない。犬は鼻で見ることが出来るのだろうか。物の匂いが脳の中枢に感じて、その匂いを発散する物の形を想像することが出来るのだろうか。

九月二日――ゆうべ星を見ていると、その星がおれの家の東にあたる畔の境の上に出ている時、左から右へとつづいて消えていった。その消えたのはほんの一刹那で、また同時に消える数がわずかだったが、畔の全体の長さに沿うて一列二列の間はぼかされていた。

おれと星との間を何物かが通ったのらしいと思ったが、おれの眼にはなんにも見えない。また、その物の輪郭を限ることの出来ないほどに、星のひかりも曇ってはいないのだ。ああ、こんなことは忌だ……。

（日記の紙が三枚剝ぎ取られているので、それから数週間の記事は失われている。）

九月二十七日――あいつが再びここへ出て来た。おれは毎日あいつが出現することの証拠を握っているのだ。おれは昨夜もおなじ上掩いを着て、鹿撃ち弾を二重籠めにした鉄砲を持って、夜のあけるまで見張っていたのだが、朝になって見ると新しい足跡が前の通りに残っているではないか。しかし、おれは誓って眠らなかったのだ。確かにひと晩じゅう眠らないはずだ。

どうも怖ろしいことだ。どうにも防ぎようのないことだ。こんな奇怪な経験が本当ならば、おれは気違いになるだろう。万一それが空想ならば、おれはもう気違いになっているのだ。

十月三日――おれは立ち去らない。あいつにおれを追い出すことが出来るものか。そうだ、そうだ。ここはおれの家だ、ここはおれの土地だ。神さまは卑怯者をお憎みなさるはずだ。

十月五日――おれはもう我慢が出来ない。おれはハーカーをここへ呼んで、幾週間を一緒に過ごしてもらうことにした。ハーカーは気のおちついた男だ。あの男がおれを気違いだと思うかどうかだが、その様子をみていれば大抵判断ができるはずだ。

十月七日――おれは秘密を解決した。それはゆうべ判ったのだ――一種の示顕を蒙ったように突然に判ったのだ。なんという単純なことだ――なんという怖ろしい単純だ！

世の中にはおれたちに聞こえない物音がある。音階の両端には、人間の耳という不完全な機械の鼓膜には震動を感じられないような音符がある。その音はあまりに高いか、またはあまりに低いかであるのだ。おれは木の頂上に鶫の群れがいっぱいに止まっているのを見ていると――一本の木ではない、たくさんの木に止まっているのだ――そうして、みな声を張りあげて歌っているのだ。すると、不意に――一瞬間に――まったく同じ一刹那に――その鳥の群れはみな空中へ舞いあがって飛び去ってしまった。それはなぜだろう。どの木も重なって邪魔になって、鳥にはおたがい同士が見えないはずだ。また、どこにもその指揮者――みんなから見えるような指揮者の棲んでいる場所がないのだ。してみれば、そこには何か普通のがちゃがちゃいう以上に、もっと高い、もっと鋭い、通知か指揮かの合図がなければならない。ただ、おれの耳にきこえないだけのことだ。

おれはまた、それと同じようにたくさんの鳥が一度に飛び去る例を知っている。鶫の仲間ばかりでなく、たとえば鶉のような鳥が藪のなかに広く分かれている時、さらに遠い岡のむこう側にまで分かれている時、なんの物音もきこえないにもかかわらず、たちまち一度に飛び去ることがあるのだ。

船乗りたちはまた、こんなことを知っている。鯨(くじら)の群れが大洋の表面に浮かんだり沈んだりしている時、そのあいだに凸形の陸地を有して数マイルを隔てているにもかかわらず、ある時には同じ刹那に泳ぎ出して、一瞬間にすべてその影を見失うことがある。信号が鳴らされた――マストの上にいる水夫やデッキにいるその仲間の耳にはあまりに低いが、それでも寺院の石がオルガンの低い音響にふるえるように、船のなかではその顫動(せんどう)を感じるのだ。

音響とおなじことで、物の色もやはりそうだ。化学者には太陽のひかりの各端に化学(アクテニック)・線(レイ)というものの存在を見いだすことが出来る。その線は種(しゅ)じゅの色をあらわすもので、光線の成分にしたがって完全な色を見せるのだそうだが、われわれにはそれを区別することが出来ない。人間の眼は耳とおなじように不完全な機械で、その眼のとどく程度はただわずかに染色性の一部に限られているのだ。おれは気が違っているのではない、そこには俺たちの眼にもみえない種じゅの色があるのだ。

そこで、たしかに譃(うそ)でない、あの妖物はそんなたぐいの色であった！

クラリモンド

ゴーチェ

ゴーチェ Theophile Gautier

一八一一年八月三十一日、仏国ダルブに生まる。詩人、小説家。一八七二年十月二十三日逝く。十九世紀の中葉における仏国名家の一人なり。

一

わたしがかつて恋をしたことがあるかとお訊ねになるのですか。あります。わたしの話はよほど変わっていて、しかも怖ろしい話です。わたしは六十六歳になりますが、いまだにその記憶の灰をかき乱したくないのです。

わたしはごく若い少年の頃から、僧侶の務めを自分の天職のように思っていましたので、すべて私の勉強はその方面のことに向けていました。二十四のころまでのわたしの生活は、長い初学者としての生活でした。神学の課程を卒えますと、つづいて種じゅの雑務に従事しましたが、牧師長の人たちはわたしがまだ若いにもかかわらず、わたしを認めてくれまして、最後に聖職につくことを許してくれました。そうして、その僧職の授与式は復活祭の週間のうちに行なわれることに決まりました。

わたしはその頃まで、世間に出たことがありませんでした。わたしの世界は、学校の壁と、神学校関係の社会だけに限られていました。それで、わたしは世間でいう女というものには、極めて漠然とした考えしか持っていませんでしたし、また、そんな問題において考えたりすることは決してありませんでしたので、全く無邪気のままに生活していたのでした。私は一年にたった二度、わたしの年老いた虚弱な母に逢いに行くばかりで、私とほかの世間との関り合いというものは、全くこれだけのことしかなかったのであります。

わたしはこの生活になんの不足もありませんでした。わたしは自分が二度と替えられない終身の職に就いたことに対しては、なんの躊躇も感じていませんでした。私はただ心の喜びと、胸の躍りを感じていました。どんな婚約をした恋人でも、わたしほどの夢中の喜びをもって、ゆるやかな時刻の過ぎるのをかぞえたことはありますまい。わたしは寝る時には、聖餐式でわたしが説教する時のことを夢みながら床につくのです。わたしはこの世に、僧侶になるというほどの喜びは、他に何もないものだと信じていました。詩人になれても、帝王になれても、わたしはそれを断わりたいほどで、わたしの野心はもうこの僧侶以上に何も思っていませんでした。

とうとう私にとって大事の日が参りました。私はまるで自分の肩に羽でも生えているように、浮きうきした心持ちで、教会の方へ軽く歩んでいました。まるで自分を天使のように思うくらいでした。そうして、大勢の友達のうちには暗いような物思わしげな顔をしている者があるのを、不思議に思うくらいでありました。わたしは祈禱にその一夜を過ごして、まったく法悦の状態にあったのです。慈愛ぶかい司教さまは永遠にいます父――神のごとくに見え、教会の円天井のあなたに天国を見ていたのであります。

この儀式をくわしくご存じでしょうが、まず浄祓式がおこなわれ、それから、両種の聖餐拝受式、それから、てのひらに洗礼者の油を塗る抹油式、それが済んでから、司教と声をそろえて勤める神聖なる献身の式が終わるのであります。

ああ、しかしヨブ（旧約ヨブ記の主人公）が、「眼をもて誓約せざるものは愚かなる人間なり」と言ったのは、よく真理を説いています。わたしがその時まで垂れていた頭を偶然にあげると、わたしの眼の前にまるでさわれるぐらいに近く思われて、実際は自分のところからかなり離れた聖壇の手すりのはしに、非常に美しい若い女が目ざむるばかりの高貴の服装をしているのを見ました。

それはわたしの眼には、世界が変わったように思われました。私はまるで盲目の眼が再びあいたように感じたのです。つい今の瞬間までは栄光に輝いていた司教の姿はたちまちに消え去って、黄金の燭台に燃えていた蠟燭はあかつきの星のように薄らいで、一面の暗闇がお堂の内に拡がったように思われました。かの愛らしい女はその暗闇を背景にして、天使の出現のようにきわだって浮き出していたのです。彼女は輝いていました。実際、輝いて見えるというだけでなく、光りを放っていました。

わたしは他のことに気を奪られてはならないと思って、二度と眼をあくまいと決心してまぶたを伏せました。なぜといって、わたしの煩悶はだんだんに嵩じてきて、自分はいま何をしているか分からないくらいになったからでした。それにもかかわらず、次の瞬間にはまたもや眼をあげて、睫毛のあいだから彼女を見ました。すると、誰しも太陽を見つめる時、むらさき色の半陰影が輪を描くように、彼女はすべて虹色にかがやいていました。

ああ、なんという美しさであろう。偉大なる画家は、理想の美を天界に求めて、地上に聖女の真像を描きますが、今わたしの眼前にある自然のほんとうの美しさに近い描写はまだ見いだされません。いかなる詩句といえども、画像の絵具面といえども、彼女の美を写してはいませんでした。彼女はやや脊丈の高い、女神のような形と態度とを有していました。やわらかい金色な髪をまん中で二つに分け、それが金の波を打つ二つの河になって両方の顳顬に流れているところは、王冠をいただく女王のように見えました。額は透き通った青みのある白さで、二つのアーチ形をした睫毛の上にのび、おのずからなる快活な輝きを持つ海緑色の瞳をたくみに際立たしているのでした。ただ不思議に見えたのは、その眉がほとんど黒いことでした。それにしても、なんという眼でしょう。ただ一度のまたたきだけでも、一人の男の運命を決めることのできる眼です。今までわたしが人間に見たことのない、清く澄んだ、うるんだ光りを持つ、生きいきした眼でありました。二つの眼は矢のように光りを放ちました。それがわたしの心臓に透るのをはっきりと見たのです。わたしはその輝いている眼の火が、天国より来たものか、あるいは地獄から来たものかを知りませんが、いずれかから来ているに相違ありません。彼女は天使(エンジェル)か、悪魔(デモン)かでありました。おそらく両方であったろうと思います。たしかに彼女は普通の女から――すなわちイヴの腹から生まれたのではありませんでした。光沢(つや)のある真珠の歯は、愛らしい微笑のときに光りました。彼女が少しでも口唇(くちびる)を動かすときに、小さなえくぼが輝く薔薇(ばら)色の頬に現われました。優しい整った鼻は、高貴の生まれであることを物語っていました。

半分ほどあらわに出した滑(なめ)らかな光沢のある二つの肩には、瑪瑙(めのう)と大きい真珠の首飾りが首すじの色と同じ美しさで光っていて、それが胸の方に垂れていました。時どきに彼女があふれるばかりの笑いを帯びて、驚いた蛇か孔雀(くじやく)のように顔を上げると、それらの宝石をつつんだ銀格子のような高貴な襞襟(ひだえり)が、それにつれて揺れるのでした。彼女は赤いオレンジ色のビロードのゆるやかな着物をつけていました。貂(てん)の皮でふちを取った広い袖(そで)からは、光りも透き通るほどのあけぼのの女神の指のような、まったく理想的に透明な、限りなく優しい貴族風の手を出していました。

これらの細かいことは、その時わたしが非常に煩悶していたのにかかわらず、何ひとつ逃がさずに、あたかもきのうのことのように明白に思い出します。顎のところと口唇の隅にあった極めてわずかな影、額の上のビロードのようなうぶ毛、頬にうつる睫毛のふるえた影、すべてのものが、驚くほどにはっきりと語ることができるのです。

それを見つめていると、わたしは自分のうちに今まで閉じられていた門がひらくのを感じました。長い間さえぎられていた口があいて、すべてのものが明らかになり、今まで知らなかった内部のものが見えるようになったのです。人生そのものがわたしに対して新奇な局面をひらきました。わたしは新しい別の世界、いっさいが変わっているところに生まれて来たと思ったのです。恐ろしい苦悩が赤く灼けた鋏をもって、わたしの心臓を苦しめ始めました。絶え間なく続いている時刻がただ一秒のあいだかと思われると、また一世紀のように長くも思われます。

そのうちに儀式は進んでゆく。わたしはその時、山でも根こぎにするほどの強い意志の力を出して、わたしは僧侶などになりたくないと叫び出そうとしましたが、どうしてもそれが言えないのです。わたしは自分の舌が上顎に釘づけにでもなったくらいで、いやだといういの字も言うことができなかったのです。それはちょうど夢におそわれた人が命がけのことのために、なんとかひと声叫ぼうとあせっても、それができ得ないのと同じことで、わたしは現在目ざめていながらも叫ぶことが出来なかったのです。

彼女はわたしが殉道に身を投じてゆく破目(はめ)になるのを知って、いかにも私に勇気づけるように、力強い頼みがいのある顔を見せました。その眼は詩のように、眼の動きは歌のように思われたのです。

彼女はその眼でわたしに言いました。

「もしあなたがわたしのものになって下さるなら、神が天国にいますよりも、もっと幸福にしてあげます。天使たちがあなたに嫉妬を感じるほどにしてあげます。あなた自身を包もうとしている、あの喪服を引っぱがしておしまいなさい。わたしは美しいのです。わたしは若いのです。わたしには命があるのです。わたしのところへ来て下さい。お互いに愛しAます。エホバの神は何をあなたに上げるのでしょう。なんにもくれますまい。わたしたちのいのちは、ただ一度の接吻(せっぷん)のあいだに夢のように過ぎてしまいます。あの聖餐盃(チャリース)を投げ出しておしまいなさい。そうして、自由におなりなさい。わたしはあなたを遠い島へお連れ申します。あなたは、銀の屋根の建物の下で、大きい黄金(おうごん)の寝台の上で、わたしのふところで寝られます。わたしはあなたを愛しております。わたしはあなたを神様より奪ってしまいたいのです。これまでどれだけの尊い人たちが愛の血をそそいだかもしれませんが、誰も神様のそばにも近寄った者はないのではございませんか」

　これらの言葉が、無限の優しいリズムをもってわたしの耳に流れ込みました。彼女の顔はまったく歌のようで、その眼で物を言っています。そうして、それが本当のくちびるから漏れ出るようにわたしの胸の奥にひびくのでした。

　わたしはもう神様にむかって、僧侶となることを断わりたい心持ちが胸いっぱいでしたが、それでどういうものか、わたしの舌は儀式通りに言ってしまうのです。美しいひとは更にまた、わたしの胸を刺し通す鋭い白刃のような絶望の顔や、歎願するような顔を見せるのです。それは「悲しみの聖母」のどれよりも、もっと強い刃でつらぬくような顔つきでありました。

　そのうちにすべての儀式はとどこおりなく終わって、わたしは一個の僧侶になったのであります。

　この時ほど、彼女の顔に深い苦悶の色が描かれたのを見たことはありませんでした。婚約した愛人の死を目のあたり見ている少女も、死んだ子を悲しんで空の乳母車をのぞき込んでいる母も、天界の楽園を追われてその門に立つイヴも、吝嗇な男が自分の宝と置き換えられた石をながめている時でも、詩人がたましいをこめた、ただひとつの原稿を何かのために火に焚こうとしている時でも、この時における彼女ほどには、あきらめ切れないような絶望の顔を見せないであろうと思われました。彼女の愛らしい顔にすっかり血の色が失せて、大理石よりも白くなりました。美しい二つの腕は筋肉のゆるんだように、体の両方に力なく垂れてしまいました。柔順(すなお)な足も今は自由にならなくなって、彼女は何か力と頼むべき柱をさがしていました。

わたしはといえば、これも死人のような青白い色をして、教会のドアの方へよろめいて行きましたが、あのクリストの磔刑(はりつけ)の像よりも更に血の汗を浴びて、まるで首を絞(し)められている人のように感じました。円天井はわたしの肩の上へひら押しに落ちかかって来て、わたしの頭だけでこの円天井のすべての重みを支(さき)えているようでありました。

ちょうど、わたしが教会の閾(しきい)をまたごうとする時でした。突然に一つの手がわたしの手を握ったのです。それは女の手です。わたしはこれまでに女の手などにふれたことはありませんでしたが、その時わたしに感じたのは蛇の肌にさわったような冷たい感じで、その時の感じはいまだに掌(て)の上に、熱鉄の烙印(やきいん)を押したように残っています。それは彼女の手であったのです。

「不幸なかたね。ほんとうに不幸なかた……。どうしたということです」と、彼女は低い声を強めて言って、すぐに人込みのなかに消えて行ってしまいました。

老年の司教がわたしのそばを通りかかりました。彼は何かわたしを冷笑するようなけわしい眼を向けて行きました。わたしはよほど取りみだした顔つきをしていたらしく、顔を赤くしたり、青くしたりして、まぶしい光りが眼の前にきらめくように感じました。そのうちに、一人の友達がわたしに同情して、わたしの腕をとって連れ出してくれました。わたしはもう誰かに扶(たす)けられないでは、学寮へ帰ることが出来ないくらいでした。

町の角で、わたしの若い友達が何かよその方へ気をとられて振りむいている刹那(せつな)に、風変わりの服装をした黒人の召仕(ページ)がわたしに近づいて来て、歩きながらに金色のふちの小さい手帳をそっと渡して、それをかくせという合図をして行きました。わたしはそれを袖のなかに入れて、わたしの居間でただひとりになるまで隠しておきました。独(ひと)りになってから、その手帳の止めを外すと、中には一枚の紙がはいっていて、「コンティニ宮にて、……クラリモンド」と、わずかに書いてありました

二

わたしはその当時、世間のことはなんにも知りませんでした。名高いクラリモンドのことなども知っていません。コンティニ宮がどこにあるかさえも、まったく見当(けんとう)がつきませんでした。わたしはいろいろに想像をたくましくしてみましたが、実のところ、もう一度逢うことが出来れば、彼女が高貴な女であろうと、または娼婦のたぐいであろうと、わた

しはそんなことを気にかけてはいないのでした。

　わたしの恋はわずかいっときのあいだに生まれたのですが、もう打ち消すことの出来ないほどに根が深くなってゆきました。わたしはもう、まったく取りみだしてしまって、彼女が触れたわたしの手に接吻したり、幾時間ものあいだに繰り返して彼女の名を呼んだりしました。わたしは彼女の姿を目のあたりにはっきりと認めたいがために、眼をとじてみたりしました。

　わたしは教会の門のところで、わたしの耳にささやいた彼女の言葉を繰り返しました。

「不幸なかたね。ほんとうに不幸なかた……どうしたということです」

　――わたしはそうしているうちに、とうとう自分の地位の恐ろしさがわかるようになりました。暗い忌(いま)わしい束縛――その生活のうちに、自分がはいっていったということがわかるようになりました。

　僧侶の生活――それは純潔にして身を慎んでいること、恋をしてはならないこと、男女の性別や老若の区別をしてはならないこと、すべて美しいものから眼をそむけること、人間の眼を抜き取ること、一生のあいだ教会や僧房(そうぼう)の冷たい日影に身をかがめていること、死人の家以外を訪問してはならないこと、見知らない死骸のそばに番をしていること、いつも喪服にひとしい法衣(ころも)を自分ひとりで着て、最後にはその喪服がその人自身の棺の掩(おお)いになるということであります。

もう一度クラリモンドに逢うには、どうしたらいいかと思いました。町には誰も知っている人がないので、学寮を出る口実がなかったのです。わたしはもうこんな所にいっときもじっとしてはいられないと思いました。そこにいたところが、ただわたしはこれから職に就く新しい任命を待っているばかりです。

窓をあけようと思って、貫木に手をかけましたが、それは地面から非常に高い所にありますので、別に梯子を見つけない限りは、この方法で逃げ出すことは無駄であることが分かりました。その上に、どうしても夜ででもなければ、そこから降りられそうもないのです。それからまた、あの迷宮のように複雑な街の様子も分かりかねるのでありました。これらの困難は、他人にとってはさほどむずかしいとは思われないのでしょうが、わたしにとっては非常に困難の仕事であったのです。それというのは、わたしはつい前の日に、生まれて初めて恋に落ちたばかりの学徒で、経験もなければ金も持たない、衣服も持たない、あわれな身の上であったからです。

わたしは盲目にひとしい自分にむかって、ひとりごとを言いました。

「ああ、もし自分が僧侶でなかったなら、毎日でもあの女に逢うことも出来る。そうして、あの女の恋人となり、あの女の夫になっていられるのだが……。こんな陰気な喪服の代りに、絹やビロードの着物を身にまとって、金のくさりや剣をつけて、ほかの若い騎士たちのように美しい羽毛をつけていられるのに……。髪もこんなぶざまな剃髪(トンシュア)などにしていないで、襟まで垂れている髪を波のようにちぢらせて、立派に伸びた頤鬚(あごひげ)までもたくわえて、優雅な風采でいられるのに……」

しかも、かの聖壇の前における一時間、その時のわずかな明晰(めいせき)な言葉が、永久にわたしをこの世の人のかずから引き離してしまって、わたしは自分の手で自分の墓の石蓋(いしぶた)をとじ、自分の手で自分の牢獄の門をとじたのでありました。

わたしはまた窓へ行って見ると、空はうららかに青く晴れて、すべての樹木はみな春のよそおいをして、自然は皮肉な歓楽の行進をつづけています。そこには、多くの人びとが往来して、姿のよい若い紳士や、美しい淑女たちが二人連れで、森や花園の方へそぞろ歩きをしています。元気のいい青年がおもしろそうに酔って歌っています。すべてが快活、生命、躍動の一幅の絵画で、わたしの悲哀と孤独とくらべると実にひどい対照をなしているのです。門の階段のところには、若い母が、自分の子供と遊んでいます。母はまだ乳のしずくの残っている可愛らしい薔薇(ばら)色の口に接吻をしたり、子供を喜ばせるためにいろいろあやしてみたり、母だけしか知らないような種じゅ様ざまな尊い仕科(しぐさ)をしています。その子供の父は腕を組んでにこやかに微笑(ほほえ)みながら、少し離れたところに立ってその可愛らしい仲間をながめています。

わたしはもうこんな楽しい景色を見るに堪えられなくなって、手あらく窓をしめきって、急いで床のなかに飛び込んでしまいました。わたしのこころは、はげしい嫉妬と嫌悪でいっぱいになって、十日も飢えている虎のように、わが指を噛みました。

こうして私はいつまで寝台にいたか、自分でも覚えませんでしたが、床のなかで発作的に苦しみ悶えている間に、突然この部屋のまんなかに僧院長のセラピオン師がまっすぐに突っ立って、注意ぶかくわたしを見つめているのに気がつきました。

わたしは非常に恥かしくなって、おのずと胸の方へ首を垂れて、両手で顔を掩いかくしたのです。セラピオン師はしばらく無言で立っていましたが、やがて私に言いました。

「ロミュオー君。何か非常に変わったことがあなたの身の上に起こっているようですな。あなたの様子はどうも理解できない。あなたはいつも沈着で敬虔な温順な人物であるのに、どうしてそんなに、野獣などのように怒り狂っているのです。気をおつけなさい。悪魔の声に耳を傾けてはならない。恐れてはならない。勇気を失ってはなりませんぞ。そんな誘惑に出逢った場合には、何よりも確固たる信念と注意とに頼らなくてはいけません。さあ、しっかりしてよくお考えなさい。そうすれば悪魔の霊はきっとあなたから退散してしまいます」

セラピオン師の言葉で、わたしは我れにかえって、いくぶんか心が落ちついて来ました。彼は更に言いました。

「あなたはCという所の司祭に就くことになったので、それを知らせに来たのです。そこの僧侶が死んだので、あなたがそこへ就職するように司教さまから命ぜられました。明日すぐに出発できるように用意してもらいたいのです」

彼女に再び逢うことなしに、明日ここを離れて行き、今まで二人のあいだを隔てる障りある上に、さらに二人の仲をさくべき関所を置くことになったら、奇蹟でもない限りは彼女に逢うことは永遠にできなくなるのです。手紙を書いてやることは所詮できないことです。誰にたのんでその手紙を渡していいか、それさえも分からない。僧職にある身が誰にこんなことを打ち明けていいか、誰を信じていいか。それが私にはまったく堪えられないほどの苦労でありました。

翌あさ、セラピオン師はわたしを連れに来たのです。旅行用の貧しい手鞄などを乗せている二匹の騾馬が門前に待っていました。セラピオン師は一方の騾馬に乗り、わたしは型のごとくに他の騾馬に乗りました。

町の路みちを通るとき、わたしはもしやクラリモンドに逢いはしないかと、家いえの窓や露台に気をつけて見ました。朝が早かったので、街もまだほとんど起きてはいませんでした。わたしは自分の通りかかった邸宅という邸宅の窓の鎧戸やカーテンを見透すように眼をくばりました。

　セラピオン師はわたしの態度を別に疑いもせず、ただ私がそれらの邸宅の建築を珍らしがっているのだと思って、わたしがなお十分に見ることが出来るように、わざと自分の馬の歩みをゆるやかにしてくれました。わたしたちはついに町の門を過ぎて、前方にある丘をのぼり始めました。その丘の頂上にのぼりつめた時、わたしはクラリモンドの住む町に最後の一瞥を送るために見返りました。

　町の上には、大きい雲の影がおおい拡がっておりました。その雲の青い色と赤い屋根との二つの異った色が一つの色に溶け合って、新しく立ち昇る巷の煙りが白い泡のように光りながら、あちらこちらにただよっています。ただ眼に見えるものは一つの大きい建物で、周囲の建物を凌いで高くそびえながら、水蒸気に包まれて淡く霞んでいましたが、その塔は高く清らかな日光を浴びて美しく輝いていました。それは三マイル以上も離れているのに、気のせいか、かなりに近く見えるのでした。殊にその建物は、塔といい、歩廊といい、窓の枠飾りといい、つばめの尾の形をした風見にいたるまで、すべていちじるしい特長を示していました。

「あの日に照りかがやいている建物は、なんでございます」

わたしはセラピオン師にたずねました。彼は手をかざして眼の上をおおいながら、わたしの指さす方を見て答えました。

「あれはコンティニ公が、娼婦のクラリモンドにあたえられた昔の宮殿です。あすこでは恐ろしいことが行なわれているのです」

その瞬間でした。それはわたしの幻想であったか、それとも事実であったか分かりませんが、かの建物の敷石の上に、白い人の影のようなものがすべってゆくのを見たような気がしたのです。ほんのいっとき、光るように通り過ぎて、間もなく消えたのですが、それは確かにクラリモンドであったのです。

ああ、実にそのとき、遠く離れたけわしい道の頂上――もう二度とここからは降りて来ないであろうと思われる所から、落ちつかない興奮した心持ちで彼女の住む宮殿の方へ眼をやりながら、雲のせいかその邸宅が間近く見えて、わたしをそこの王として住むように差し招いているかとも思う。――その時のわたしの心持ちを彼女は知っていたでしょうか。

彼女は知っていたに違いないと思うのです。それはわたしと彼女とのこころは、僅(わず)かの隙(すき)もないほどに深く結ばれていて、その清い彼女の愛が――寝巻のままではありましたが――まだ朝露の冷たいなかをあの敷石の高いところに彼女を立たせたに相違ないのです。

雲の影は宮殿をおおいました。いっさいの景色は家の屋根と破風(はふう)との海のように見えて、そのなかに一つの山のような起伏がはっきりと現われていました。

　セラピオン師は騾馬を進めました。わたしも同じくらいの足どりで馬を進めて行くと、そのうちに道の急な曲がり角があって、とうとうSの町は、もうそこへ帰ることのできない運命とともに、永遠にわたしの眼から見えなくなってしまいました。

　田舎のうす暗い野原ばかりを過ぎて、三日間の倦み疲れた旅行ののち、わたしが預かることになっている、牡鶏の飾りのついている教会の尖塔が樹樹の間から見えました。それから、茅ぶきの家と小さい庭のある曲がりくねった道を通ったのち、あまり立派でもない教会の玄関の前に着いたのです。

　入り口には、いくらかの彫刻が施してあるが、荒彫りの砂岩石の柱が二、三本と、またその柱と同じ石の控え壁をもっている瓦ぶきの屋根があるばかり、ただそれだけのことでした。左の方には墓所があって、雑草がいっぱいに生いしげり、まん中あたりに鉄の十字架が建っています。右の方に司祭館が立っていて、あたかも教会の蔭になっているのです。それがまた極端に単純素朴なもので、囲いのうちにはいってみると、二、三羽の鶏がそこらに散らばっている穀物をついばんでいます。鶏は僧侶の陰気な習慣になれていると見えて、わたしたちが出て来ても別に逃げて行こうともしません。どこかで嗄れたような啼き声がきこえたかと思うと、老いさらばえた一匹の犬が近づいて来るのでした。

それは前の司祭の犬で、ただれた眼、灰色の毛、これ以上の年をとった犬はあるまいと思われるほどの衰えを見せていました。わたしは犬を軽くたたいてやりますと、何か満足らしい様子で、すぐにわたしのそばを通って行ってしまいました。そのうちに前の司祭の時代からここの留守番であったというひどい婆さんが出て来ました。老婆はうしろの小さい客間へわたしたちを案内して、今後もやはり自分を置いてもらえるかということを尋ねるのです。彼女も、犬も鶏も、前の司祭が残したものはなんでも皆そのままに世話をしてやると答えますと、彼女は非常に喜びました。セラピオン師はこれだけの小さい世帯を保ってゆくために、彼女の望むだけの金をすぐに出してやったのであります。

さて、それからまる一年のあいだ、わたしは自分の職務について、十分に行き届いた忠実な勤めをいたしました。祈禱と精進はもちろん、病める者はわが身の痩せるような思いをしても救済し、その他の施しなどについても、わたし自身の生計に困るほどまでに尽力しました。しかもわたしは自分のうちに、大きい充たされないものがありました。神の恵みは、わたしには与えられないように思われました。この神聖な布教の職にあるものに湧きでるはずの幸福というものが、一向に分からなくなりました。わたしの心は遠い外に行っていたのです。クラリモンドの言葉が今もわたしの口唇に繰り返されていたのでした。

ああ、皆さん。このことをよく考えてみて下さい。わたしがただの一度、眼をあげて一人の女人(にょにん)を見て、その後何年かのあいだ、最もみじめな苦悩をつづけて、わたしの一生の幸福が永遠に破壊されたことを考えてみてください。しかし私はこの敗北状態について、また霊的には勝利のごとく見えながら、更におそろしい破滅におちいったことについて、くどくどと申し上げますまい。それからすぐに事実のお話に移りたいと思います。

三

ある晩のことでした。わたしの司祭館のドアの鈴(ベル)が長くはげしく鳴りだしたのです。老婆が立ってドアをあけると、一つの男の影が立っていました。その男の顔色はまったく銅色(あかがねいろ)をしておりまして、身には高価な外国の衣服をつけ、帯には短剣を佩(お)びているのが、老婆のバルバラの提灯で見えました。老婆も一度は驚いて怖れましたが、男は彼女を押し鎮めて、わたしの神聖な仕事についてお願いに来たのであるから、わたしに会わせてもらいたいというのです。

わたしが二階から降りようとした時に、老婆は彼を案内して来ました。この男はわたしに向かって、非常に高貴な彼の女主人が重病にかかっていて、臨終のきわに僧侶に逢いたがっていることを話したので、わたしはすぐに一緒に行くからと答えて、臨終塗油式に必要な聖具をたずさえて、大急ぎで二階を降りて行きました。

夜の暗さと区別(わかち)がないほどに黒い二頭の馬が門外に待っていました。馬はあせってあがいていて、鼻から大きい息をすると、白い煙りのような水蒸気が胸のあたりを掩(おお)っていました。男は鐙(あぶみ)をとって、わたしをまず馬の上にのせてくれましたが、彼は鞍の上に手をかけたかと思うと忽(たちま)ちほかの馬に乗り移って、膝で馬の両腹を押して手綱(たづな)をゆるめました。馬は勇んで、矢のように走り出しました。わたしの馬は、かの男が手綱を持っていてくれましたので、彼の馬と押し並んで駈けました。全くわたしたちはまっしぐらに駈けました。地面はまるで青黒い長い線としか見えないようにうしろへ流れて行き、わたしたちの駈け通る両側の黒い樹樹(きぎ)の影は混乱した軍勢のようにざわめきます。真っ暗な森を駈け抜ける時などは、一種の迷信的の恐怖のために、総身(そうみ)に寒さを覚えました。またある時は馬の鉄蹄(てってい)が石を蹴って、そこらに撒(ま)き散らす火花の光りが、あたかも火の路を作ったかと疑われました。

誰でも、夜なかのこの時刻に、わたしたちふたりがこんなに疾駆(しっく)するのを見たらば、悪魔に騎(の)った二つの妖怪と間違えたに相違ありますまい。時どきにわれわれの行く手には怪しい火がちらちらと飛びめぐり、遠い森には夜の鳥が人をおびやかすように叫び、また折りおりは燐光のような野猫の眼の輝くのを見ました。

馬は鬣(たてがみ)をだんだんにかき乱して、脇腹には汗をしたたらせ、鼻息もひどくあらあらしくなってきます。それでも馬の走りがゆるやかになったりすると、案内者は一種奇怪な叫び声をあげて、またもや馬を激しく跳らせるのでした。

旋風のような疾走がようやく終わると、多くの黒い人の群れがおびただしい灯に照らされながら、たちまち私たちの前に立ち現われて来ました。わたしたちは大きい木の吊り橋を音を立てて渡ったかと思うと、二つの巨大な塔のあいだに黒い大きい口をあいている、円屋根ふうのおおいのある門のうちに乗り入れました。わたしたちがはいると、城のなかは急にどよめきました。松明をかかげた家来どもが各方面から出て来まして、その松明の火はあちらこちらに高く低く揺れています。わたしの眼はただこの広大な建物に戸惑いしているばかりであります。幾多の円柱、歩廊、階段の交錯、その荘厳なる豪奢、その幻想的なる壮麗、すべてお伽噺にでもありそうな造りでした。

そのうち黒ん坊の召仕、いつかクラリモンドからの手紙をわたしに渡した召仕が眼に入りました。彼はわたしを馬から降ろそうとして近寄ると、頸に金のくさりをかけた黒いビロードの衣服をつけた執事らしい男が、象牙の杖をついて私に挨拶するために出て来ました。見ると、涙が眼から頰を流れて、彼の白い髯をしめらせています。彼は行儀よく頭をふりながら、悲しそうに叫びました。

「遅すぎました、神父さま。遅すぎましてございます。あなたが遅うございましたので、あなたに霊魂のお救いを願うことは出来ませんでした。せめてはあのお気の毒な御遺骸にお通夜を願います」

かの老人はわたしの腕をとって、死骸の置いてある室へ案内しました。わたしは彼より烈しく泣きました。死人というのは余人でなく、わたしがこれほどに深く、また烈しく恋していたクラリモンドであったからです。

寝台の下に祈禱台が設けられてありました。銅製の燭台に輝いている青白い火焰は、あるかなきかの薄い光りを暗い室内に投げて、その光りはあちらこちらに家具や蛇腹の壁などを見せていました。

机の上にある彫刻した壺の中には、あせた白薔薇がただ一枚の葉を残しているだけで、花も葉もすべて香りのある涙のように花瓶の下に散っています。毀れた黒い仮面や扇、それからいろいろの変わった仮装服が腕椅子の上に置いたままになっているのを見ると、死がなんの知らせもなしに、突然にこの豪奢な住宅に入り込んで来たことを思わせました。

わたしは寝台の上に眼をあげる勇気もなく、ひざまずいて亡き人の冥福を熱心に祈り始めました。神が彼女の霊と私とのあいだに墳墓を置いて、この後わたしの祈禱のときに、死によって永遠に聖められた彼女の名を自由に呼ぶことが出来るようにして下されたことについて、わたしはあつく感謝しました。

しかし私のこの熱情はだんだんに弱くなって来て、いつの間にか空想に墜ちていました。この室には、すこしも死人の室とは思われないところがあったのです。私はこれまでに死人の通夜にしばしば出向きまして、その時にはいつも気が滅入るような匂いに慣れていたものですが、この室では――実はわたしは女の媚めかしい香りというものを知らないのですが――なんとなくなま温かい、東洋ふうな、だらけたような香りが柔らかくただよっているのです。それにあの青白い灯の光りは、もちろん歓楽のために点けられていたのでしょうが、死骸のかたわらに置かれる通夜の黄いろい蠟燭の代りをなしているだけに、そこには黄昏と思わせるような光りを投げているのです。

クラリモンドが死んで、永遠にわたしから離れる間際になって、わたしが再び彼女に逢うことが出来たという不思議な運命について、わたしは考えました。そうして、苦しく愛惜の溜め息をつきました。すると、誰かわたしの後の方で、同じように溜め息をついているのを感じたのです。驚いて振り返って見ましたが、誰もいません。自分の溜め息の声が、そう思わせるように反響したのでした。わたしは見まいとして、その時までは心を押さえていたのですが、とうとう死の床の上に眼を落としてしまいました。縁に大きい花模様があって、金糸銀糸の総を垂れている真っ紅な緞子の窓掛けをかかげて私は美しい死人をうかがうと、彼女は手を胸の上に組み合わせて、十分にからだを伸ばして寝ていました。

彼女はきらきら光る白い麻布(あさぬの)でおおわれていましたが、それが壁掛けの濃い紫色とまことにいい対照をなして、その白麻は彼女の優美なからだの形をちっとも隠さずに見せている綺麗な地質の物でありました。彼女のからだのゆるやかな線は白鳥の首のようで、実に死といえどもその美を奪うことは出来ないのでした。彼女の寝ている姿は、巧みな彫刻家が女王の墓の上に置くために彫りあげた雪花石膏の像のようでもあり、または静かに降る雪に限なくおおわれながら睡っている少女のようでもありました。

わたしはもう祈禱(いのり)をささげに来た人としての謹慎の態度を持ちつづけていられなくなりました。床のあいだにある薔薇は半ばしぼんでいるのですが、その強烈な匂いはわたしの頭に沁み透って酔ったような心持ちになったので、何分(なにぶん)じっとしていられなくなって、室内をあちらこちらと歩きはじめました。そうして、行きかえりに寝台の前に立ちどまって、その屍衣(しい)を透して見える美しい死骸のことを考えているうちに、途方(とほう)もない空想が私の頭のなかに浮かんで来ました。

――彼女はほんとうに死んだのではないかもしれない。あるいは自分をこの城内に連れ出して、恋を打ち明ける目的のために、わざと死んだふりをしているのではないかとも思いました。またある時は、あの白い掩(おお)いの下で彼女が足を動かして、波打った長い敷布(シーツ)のひだを幽(かす)かに崩したようにさえ思われました。

わたしは自分自身に訊いたのです。

「これはほんとうにクラリモンドであろうか。これが彼女だという証拠はどこにある。あの黒ん坊の召仕は、あの時ほかの婦人の使いで通ったのではなかったか。実際、自分はひとりぎめで、こんな気違いじみた苦しみをしているのではあるまいか」

それでも、わたしの胸は烈しい動悸をもって答えるのです。

「いや、これはやっぱり彼女だ。彼女に相違ない」

わたしは再び寝台に近づいて、疑問の死骸に注意ぶかい眼をそそぎました。ああ、こうなったら正直に申さなければなりますまい。彼女の実によく整ったからだの形、それは死の影によって更に浄められ、さらに神聖になっていたとはいえ、世に在りし時よりも更に肉感的になって、誰が見てもただ睡っているとしか思われないのでした。わたしはもう、葬式のためにここへ来たことを忘れてしまって、あたかも花婿が花嫁の室にはいって来て、花嫁は羞かしさのために顔をかくし、さらに自分全体を包み隠してくれる紗をさがしているというような場面を想像しました。

わたしは悲歎に暮れていたとはいえ、なお一つの希望にかられて、悲しさと嬉しさとにふるえながら、彼女の上に身をかがめて、掩いのはしをそっとつかんで、彼女に眼を醒まさせないように息をつめてその掩いをはがしました。わたしは烈しい動悸を感じ、こめかみに血ののぼるのを覚え、重い大理石の板をもたげた時のように、ひたいに汗の流れるのを知りました。

そこに横たわっているのは、まさしくクラリモンドでした。わたしが前にわたしの僧職授与式の日に教会で見た時と少しも違わない、愛すべき彼女でありました。死によって、彼女はさらに最後の魅力を示していました。青白い彼女の頬、やや光沢（つや）のあせた肉色のくちびる、下に垂れた長いまつげ、白い皮膚にきわだって見えるふさふさした金色の髪、それは静かな純潔と、精神の苦難とを示して、なんともいえない蠱惑（こわく）の一面を現わしています。彼女はたけ長い解（と）けた髪に小さい青白い花をさして、それを光りある枕の代りとし、豊かな捲（ま）き毛はさらに露（あら）わなる肩を包んでいます。彼女の美しい二つの手は天使（エンジェル）の手よりも透き通って、敬虔（けいけん）な休息と静粛な祈りの姿を示していましたが、その手にはまだ真珠の腕環がそのままに残っていて、象牙のようななめらかな肌や、その美しい形の丸みは、死の後までも一種の妖艶をとどめていました。

わたしはそれから言葉に尽くせない長い思索に耽（ふけ）りましたが、彼女の姿を見守っていればいるほど、どうしても彼女はこの美しいからだを永久に捨てたとは思えないのでした。見つめていると、それは気のせいか、それともランプの光りのせいかわかりませんが、血の気のない顔の色に血がめぐり始めたように思われました。わたしはそっと軽く彼女の腕に手をあてますと、冷たくは感じましたが、いつか教会の門でわたしの手にふれた時ほどには冷たくないような気がしました。わたしは再び元の位置にかえって、彼女の上に身をかがめましたが、わたしの熱い涙は彼女の頰をぬらしました。

ああ、なんという絶望と無力の悲しさでありましょう。なんとも言いようのない苦しみを続けながら、わたしはいつまでも彼女を見つめていたことでしょう。わたしは自分の全生涯の生命をあつめて彼女にあたえたい。わたしの全身に燃えている火焔(ほのお)を彼女の冷たい亡骸(なきがら)にそそぎ入れたいと、無駄な願いを起こしたりしました。

夜は更(ふ)けてゆきました。いよいよ彼女と永遠のわかれが近づいたと思った時、わたしはただひとりの恋人であった彼女に、最後の悲しい心をこめた、たった一度の接吻(せっぷん)をしないではいられませんでした——。

おお、奇蹟です。熱烈に押しつけた私のくちびるに、わたしの息とまじって、かすかな息がクラリモンドの口から感じられたのです。彼女の眼があいて来ました。それは以前のような光りを持っていました。それから深い溜め息をついて、二つの腕をのばして、なんともいわれない喜びの顔色をみせながら私の頸(くび)を抱いたのです。

「ああ、あなたはロミュオーさま……」

彼女は竪琴(たてごと)の音(ね)の消えるような優しい声で、ゆるやかにささやきました。

「どこかお悪かったのですか。わたしは長い間お待ち申していたのですが、あなたが来て下さらないので死にました。でも、もう今は結婚のお約束をしました。わたしはあなたに逢うことも出来ます。お訪ね申すことも出来ます。さようなら、ロミュオーさま、さようなら。私はあなたを愛しています。わたしが申し上げたかったのは、ただこれだけです。わたしは今あなたが接吻をして下すったからだを生かして、あなたにお戻し申します。わたしたちはすぐにまたお逢い申すことが出来ましょう」

彼女の頭（かしら）はうしろに倒れましたが、その腕はまだわたしを引き止めるかのように巻きついていました。突然に烈しい旋風（つむじかぜ）が窓のあたりに起こって、室（へや）のなかへ吹き込んで来ました。

白薔薇に残っていた、ただ一枚の葉はちっとの間、枝のさきで蝶（ちょう）のようにふるえていましたが、やがてその葉は枝から離れて、クラリモンドの霊を乗せて、窓から飛んで行ってしまいました。ランプの灯は消えました。私はおぼえず死骸の胸の上に俯伏（うつぶ）しました。

四

わたしがわれに返った時、わたしは司祭館の小さな部屋のなかに寝ていました。前の司祭の時から飼ってあるかの犬が、掛け蒲団の外に垂れているわたしの手をなめていました。

あとになって知ったのですが、わたしはそのままで三日も寝つづけていたので、その間に少しの呼吸もせず、生きている様子はちっともなかったそうです。老婆のバルバラの話によると、わたしが司祭館を出発した晩にたずねて来たかの銅色の男が、翌あさ無言でわたしを担いで来て、すぐに帰って行ったということです。しかし私がクラリモンドを再び見たかの城のことについて、この近所では誰もその話を知っている者はありませんでした。

　ある朝、セラピオン師はわたしの部屋へたずねて来ました。彼はわたしの健康のことを偽善的な優しい声で訊きながら、しきりに獅子のような大きい黄いろい眼を据えて、測量鉛のように私のこころのうちへ探りを入れていましたが、突然に澄んだはっきりした声で話しました。それはわたしの耳には最後の審判の日の喇叭のようにひびいたのです。

「かの有名な娼婦のクラリモンドが、二、三日前に八日八夜もつづいた酒宴の果てに死にました。それは魔界ともいうべき大饗宴で、バルタザールやクレオパトラの饗宴をそのままの乱行が再びそこに繰り返されたのです。ああ、われわれはなんという時世に生まれ合わせたのでしょう。言葉は何を言っているのか分からないような黒ん坊の奴隷が客の給仕をしましたが、どうしても私にはこの世の悪魔としか見えませんでした。そのうちのある人びとの着ている晴れ衣などは、帝王の晴れ衣にも間に合いそうな立派なものでした。かのクラリモンドについては、いろいろの不思議な話が伝えられていますが、その愛人はみな怖ろしい悲惨な終わりを遂げているようです。世間ではあの女のことを発塚鬼(グール)だとか、女の吸血鬼(ヴァンパイヤ)だとか言っているようですが、わたしはやはり悪魔であると思っています」

　セラピオン師はここで話をやめて、その話が私にどういう効果をあたえたかということを、以前よりもいっそう深く注意し始めました。わたしはクラリモンドの名を聞いて、驚かずにはいられませんでした。それは彼女が死んだという知らせの上に、さらに私を苦しめたのは、その事件がさきの夜に私が見た光景と寸分たがわない偶然の暗合であります。わたしはその煩悶(はんもん)や恐怖を出来るだけ平気に粧(よそお)うとしましたが、どうしても顔には現われずにはいませんでした。セラピオン師は不安らしい嶮(けわ)しい眼をして私を見つめていましたが、また、こう言いました。

「わたしはあなたに警告しますが、あなたは今や奈落(ならく)のふちに足をのせて立っているのです。悪魔の爪は長い。そうして、かれらの墓はほんとうの墓ではない場合があります。クラリモンドの墓石は三重にも蓋(ふた)をしておかなければなりません。なぜというに、もし世間の話が本当であるとすれば、彼女が死んだのは今度が初めてでないのです。ロミュオー君、どうかあなたの上に神様のお守りがあるように祈ります」

　こう言って、セラピオン師は静かに戸口の方へ出て行きました。間もなく彼はSの町へ帰りましたが、わたしはそれを見送りもしませんでした。

わたしはそののち健康を回復して、型のごとくに職務を始めました。クラリモンドの記憶と、セラピオン師の言葉とは絶えず私の心に残っていたのですが、セラピオン師の言った不吉な予言が真実として現われるような、特別の事件も別に知らなかったのでした。そこでわたしは、セラピオン師やわたしの恐怖にはやはり誇張があったのだと思うようになりました。ところがある夜、不思議な夢を見たのです。

わたしはその夜まだ本当に寝入らないとき、寝室のカーテンのあく音を聞きました。わたしはその環がカーテンの横棒の上を烈しくすべったのに気がついて、急いで肘で起き上がると、わたしの前に一人の女がまっすぐに立っているのを見たのです。

彼女はその手に、墓場でよく見る小さいランプを持っていましたが、その指は薔薇色に透き通っていて、指さきから腕にかけてだんだんに暗くほの白く見えているのです。彼女の身につけているものは、ただ一つ、死の床に横たわっている時におおわれていた白い麻布でありました。彼女はそんな貧しいふうをしているのが恥かしそうに、胸のあたりを掩おうとしましたが、優しい手には充分にそれが出来ませんでした。ランプの青白い灯に照らされて、彼女のからだの色も、身にまとっているものも、すべて一つの真っ白な色に見えていましたが、一つの色に包まれているだけに、彼女のからだのすべての輪郭はよくあらわれて、生きている人というよりは、浴みしている昔の美女の大理石像を思わせました。

死生を問わず、彫像であろうと、生きた女であろうと、彼女の美には変わりはありませんが、ただ多少その緑の眼に光りがないのと、かつては真紅の色をなしていた口が、頬の色と同じように弱い薔薇色をしているだけの相違でありました。彼女はその髪に小さい青い花をさしていましたが、ほとんどその葉を振るい落として花も枯れしぼんでいました。しかし、それは少しも彼女の優しさをさまたげず、こんな冒険をあえてして、不思議な身装でこの部屋にはいって来ても、ちっとも私を恐れさせないほどの美しい魅力をそなえているのでした。

彼女はランプを机の上に置いて、わたしの寝台の下に坐って私の方へ頭を下げました。そうして、ほかの女からはまだ一度も聞いたことのないような愛らしい柔らかな、しかし時には銀のような冴えた声で言いました。

「ロミュオーさま。わたしは長い間あなたをお待ち申しておりました。あなたのほうでは、わたしがあなたをお忘れ申していたとでも、思っていらっしゃるに相違ないと思います。それでもわたしは、遠い、たいへんに遠い、誰も二度とは帰って来られないような処から参ったのです。そこには太陽もなければ、月もないのです。そこにはただ空間と影とがあるばかりで、通り路もなく、地面もなく、羽で飛ぶ空気もない処です。それでも私は来たのでございます。愛は死よりも強いもので、しまいには死をも征服しなければならないものですから……。ああ、ここまで参るのにどんなに悲しい顔や、怖ろしいものに出逢ったか知れません。わたしの霊魂が、ただ意志の力だけでこの地上に帰って来て、わたしの元のからだを探し求めて、そのなかに帰るまでにはどんなに難儀をしたでしょう。わたしは自分の上に掩いかぶさっている重い石の蓋を引き上げるには、恐ろしいほどの努力を要しました。わたしの掌（て）を見て下さい。こんなに傷だらけになってしまったのです。この上に接吻をして下さい。これが癒（なお）りますように……」

彼女は冷たい手を交るがわるに私の口へあてたのです。わたしは全くいくたびも接吻しました。彼女はその間に、なんとも言われない愛情をもってわたしを見ていました。

恥かしいことですが、わたしはセラピオン師の忠告も、また、わたしの神聖なる職業に任ぜられていることも、全く忘れていました。わたしは彼女が最初の来襲に対してなんの拒絶もなしに服従し、その誘惑をしりぞけるために僅かの努力さえもしませんでした。クラリモンドの皮膚の冷たさが沁み透って、わたしの全身はぞっとするように顫（ふる）えました。憐（あわ）れなことには、わたしはその後にもいろいろのことを見ているにもかかわらず、いまだに彼女を悪魔だと信じることができません。すくなくとも彼女は悪魔らしい様子を持っていないばかりでなく、悪魔がそれほど巧妙にその爪や角を隠すことが出来るはずがないと思っていたからです。

彼女はうしろの方に身を引くと、いかにも倦そうな魅惑を見せながら長椅子のはしに腰をおろしました。彼女はそれからだんだんに私の髪のなかへ小さい手を差し入れて、髪の毛をくねらしたりして、新しい型が私の顔に似合うかどうかを試みたりしました。わたしはこの罪深い歓楽に酔って彼女のなすがままに委せていましたが、その間も彼女は何かと優しい子供らしい無駄話などをしていたのです。何より不思議なのは、こんな普通でないことをしていて、わたし自身が少しも驚かなかったことです。それはあたかも夢をみているとき、非常に幻想的な事柄がおこっても、それは当たり前のこととして別に不思議に思わないようなもので、今のすべての場合もわたし自身には全く自然なことのように思われたのです。

「ロミュオーさま。わたしはあなたをお見かけ申した前から愛していました。そうして、あなたを捜していたのです。あなたは私の夢にえがいていたかたです。教会のなかで、しかもあの運命的な瀬戸ぎわにあなたを初めてお見かけ申したのです。わたしはその時すぐに〈あの方だ〉と自分に言いました。わたしは今までに持っていたすべての愛、あなたのために持つ未来のすべての愛、それは司教の運命も変え、帝王もわたしの足もとにひざまずかせるほどの愛をこめてあなたを見つめたのです。それをあなたは、わたしには来て下さらないで、神様をお選びになったのです……。ああ、わたしは神様がねたましい。あなたは私よりも神様を愛していらっしゃるのです。考えると詰まりません、わたしは不幸な女です。わたしはあなたの心をわたし一人のものにすることが出来ないのです。あなたは一度の接吻でわたしをこの世によみがえらせて下さいました。この死んだクラリモンドを……。そのクラリモンドは今あなたのために墓の戸を打ち開いて来たのです。わたしはあなたに生の喜びを捧げたい、あなたを幸福にしてあげたいと思って来たのです」

それらの熱情的の愛の言葉は、わたしの感情や理性を眩惑させました。わたしは彼女を慰めるために、平気で彼女にむかって「神を愛するほどに愛する」などと、恐るべき不敬なことを言ってしまいました。

彼女の眼はふたたび燃えはじめて、緑玉のように光りました。

「本当でございますか。神様を愛するほどにわたしを愛して下さるの」と、彼女は美しい手を私に巻きつけながら叫びました。「そんなら、わたしと来て下さるでしょう。わたしの行きたい所へ来て下さるでしょう。もう忌な陰気な商売はやめておしまいなさい。あなたを騎士のうちでもいちばん偉い、みんなの羨望の的になるような人にしてあげます。あなたは私の恋びとです。クラリモンドの気に入った恋びと――ローマ法王さえ撥ねつけたほどの私の恋びと――それなら男の誇りになるはずです。ああ、わたしの人……。わたしたちはなんともいえないほどに幸福です。これから美しい黄金生活を倶にしましょう。わたしたちはいつ出発しましょうか」

「あした、あした……」と、わたしは夢中になって叫びました。

「あした……。では、そうしましょう。その間にわたしはお化粧する暇があります。このままではあまりお粗末で、旅行するには困ります。わたしはすぐにこれから行って、わたしが死んだと思って大変に悲しんでいるお友達に知らせてやります。お金も、着物も、馬車も、何もかも用意して、今夜とおなじ時間にまいります。さようなら」

彼女は軽く私のひたいに接吻しました。それから彼女の持つランプが行ってしまうと、カーテンは元の通りにとじられて、あたりは真っ暗になりました。わたしは熟睡して、翌朝まで何も覚えませんでした。

五

わたしはいつもより遅く起きましたが、この不思議な出来事が思い出されて、わたしは終日悩みました。わたしは結局、ゆうべの出来事は自分の熱心なる想像から湧き出した空想に過ぎないと思ったのです。それにもかかわらず、そのときの感激があまりに生まなましいので、ゆうべのことがどうも空事（そらごと）ではないようにも思われ、今度また何か起こって来るのではないかという予感を除くことが出来ないので、わたしは悪魔的の考えをいっさい追い出して下さることを神に祈って、寝床についたのであります。

わたしはすぐに深い眠りに落ちました。するとまた、かの夢がつづきました。カーテンがふたたび開くと、クラリモンドが以前とは違って、屍衣に包まれて青白い色をしていたり、頬に死のむらさき色を現わしていたりすることなく、華やかな陽気な、快活な顔色をしてはいって来ました。彼女は金色のふちを取って絹の下袴の見えるほどに括ってある緑色のビロードの旅行服を着ていました。金色の髪はひろい黒色のフェルト帽の下に深ぶかとした房をみせ、その帽子の上には白い羽が物好きのようにいろいろの形に取り付けてありました。彼女は片手に金の笛をつけた小さい馬の鞭を持っていましたが、その笛で軽くわたしを叩いて言いました。

「まあ、お寝坊さんね。これがあなたのご用意なのですか。もう起きて、着物をきていらっしゃると思っていましたのに……。早く起きて頂戴よ。もう時間がありませんわ」

わたしはすぐ寝台から飛びあがりました。

「さあ、ご自分で着物をお着なさい。行きましょうよ」と、彼女は自分が持って来た小さい荷造りを見せながら言いました。「ぐずぐずしているから馬がじれて、戸をぼりぼりと嚙みはじめましたわ。もう今までに三十マイルも遠く行けましたのに……」

わたしは急いで服をつけにかかりますと、彼女は一つ一つに服を渡して、わたしの不器用な手つきを見ては笑いこけたり、わたしが間違うと、その着方を教えてくれたりしました。彼女はさらに私の髪を急いでととのえてくれて、ふところからふちに金銀線の細工がしてある、ヴェニスふうの小さい水晶の鏡を出して、芝居気たっぷりに、「お気に召しましたでしょうか。あなたの侍女にして下さりませ」などと訊いたりしました。

わたしはもう以前と同じ人間ではなく、自分ではないくらいに変わり果てました。立派に出来あがった石像とただの石ころほどに変わってしまいました。わたしはまったく美男子になり済まして、なんだか擽ったいような心持ちになりました。上品な服装、贅沢にふちを取った胸着は、まるでわたしを違った人間にしてしまい、縞柄のついた二、三ヤードの布でこしらえただけのものが、こんなにも人の姿を変えるものかと驚きました。衣服が変わると、わたしの皮膚の色まで変わって、わずか十分というあいだに相当の伊達者のようになったのです。

わたしはこの新しい服を着馴らすために室内を歩き廻りました。クラリモンドは母のような喜びをもって私をながめて、自分の仕事に満足したように見えました。

「さあ、このくらいにして出かけましょうよ。遠い所へ行かなければなりませんから……。さもないと時間通りに行き着きませんわ」

彼女はわたしの手を取って出ました。すべてのドアは、彼女が手を触れると開きました。

わたしたちは犬のそばを眼を醒まさせないで通りぬけたのです。門のところにマルグリトーヌが待っていました。さきに私を迎えに来た浅黒い男です。彼は三頭の馬の手綱をとっていましたが、馬はいずれもさきに城中へ行った時と同じ黒馬で、一頭はわたし、一頭は彼、他の一頭はクラリモンドが乗るためでした。それらの馬は西風によって牝馬から生まれたスペインの麝香猫にちがいないと思うくらいに、風のように疾く走りました。出発の時にちょうど昇ったばかりの月はわれわれのゆく手を照らして、戦車の片輪が車を離れた時のように大空をころがって行きました。われわれの右にはクラリモンドが飛ぶように馬を走らせ、わたしたちにおくれまいとして息が切れるほどに努力しているのを見ました。間もなくわれわれは平坦な野原に出ましたが、その立ち木の深いところに、四頭の大きい馬をつけた一台の馬車がわれわれを待っていました。

わたしたちはその馬車に乗ると、馭者は馬を励まして狂奔させるのでした。わたしは一方の腕をクラリモンドの胸に廻しましたが、彼女もまた一方の腕をわたしに廻して、その頭をわたしの肩にもたせかけました。わたしは彼女の半ばあらわな胸が軽くわたしの腕を押し付けているのを感じました。わたしはこんな熱烈な幸福を覚えたことはありませんでした。わたしは一切のことを忘れました。母の胎内にいた時のことを忘れたように、自分が僧侶の身であることを忘れて、まったく悪魔に魅られるほどの恍惚たる心持ちになったのでした。

　その夜からわたしの性質はなんだか半分半分になったようで、わたしの内におたがいに知らない同士の二人の人間がいるように思われました。ある時は、自分は僧侶で紳士になっている夢を見ているようにも思われ、またある時は、自分は紳士で僧侶になっているような気もしたのです。わたしはもはや現実と夢との境を判別することが出来ず、どこからが事実で、どこで夢が終わったのか分からなくなって、高貴な若い貴族や放蕩者は僧侶を罵り、僧侶は若い貴族の放埒な生活を忌み嫌いました。

　こういうわけで、わたしはこの二つの異った生活を認めていながら、あくまでも強烈にそれを持続していました。ただ自分にわからない不合理なことは、一つの同じ人間の意識が性格の相反した二つの人間のうちに存在していることでありました。わたしは小さいCの村の司祭であるか、またはクラリモンドの肩書つきの愛人ロミュオー君であるか、この変則がどうしても分かりませんでした。

　それはどうでもいいとして、とにかくに私はヴェニスで暮らしていました。少なくとも私はそう信じていました。わたしのこの幻想的な旅行は、どれだけが現実の世界で、どれだけが幻影であるか、確かには分かりかねますが、わたしたちふたりはカナレイオ河岸の大邸宅に住んでいました。邸内は壁画や彫像をもって満たされ、大家の名作のうちにはティチアーノ（十五世紀より十六世紀にわたるヴェニスの画家）の二つの作品もクラリモンドの室に掛けてありました。そこは全く王宮とひとしき所でありました。ふたりともに、めいめいゴンドラをそなえていて、家風の定服を着た船頭が付いており、さらに音楽室もあり、特別にお抱えの詩人もありました。

　クラリモンドはいつも豪奢な生活をして自然にクレオパトラの風があり、わたしはまた公爵の子息を小姓にして、あたかも十二使徒のうちの一族であり、あるいはこの静かな共和国（ヴェニス）の四人の布教師の家族であるかのごとくに尊敬され、ヴェニスの総督といえども道を避けるくらいでありました。実に悪魔がこの世に降って以来、わたしほど傲慢無礼の動物はありますまい。わたしは更にリドへ行って賭博を試みましたが、そこは全く阿修羅の巷ともいうべきものでした。わたしはあらゆる階級――零落した旧家の子弟、劇場の女たち、狡猾な悪漢、幇間、威張り散らす乱暴者のたぐいを招いて遊びました。

　こんな放蕩生活をしているにも拘らず、わたしはクラリモンドに対しては忠実であり、また熱烈に彼女を愛していました。クラリモンドも大いに満足して愛のかわることはありませんでした。クラリモンドを持っていることは、二十人の女、否、すべての女を持っているようなものでした。彼女は実に感じ易い性質といろいろの変わった風貌と、新しい生きいきとした魅力とをすべて身に備えて、かのカメレオンのごとき女でありました。人がもしほかの女の美に酔うて淫蕩の心を起こした場合には、彼女は直ちにその美女の性格や魅力や容姿を完全に身にまとって、その人に同じ淫蕩の念を起こさせる女でありました。

彼女はわたしの愛を百倍にして返してくれたのです。この地の若い貴公子や十法官からも華ばなしい結婚の申し込みがありましたが、それはみな失敗に終わりました。フォスカリ家（ヴェニスの総督たりしフォスカリ・フランセソの一家）の人からも申し込みがありましたが、彼女はそれをも拒絶しました。金は十分に持っているので、彼女は愛のほかには何物をも望んでいませんでした。ただこの愛——青春の愛、純真の愛、それは自分のこころから燃え出した愛、そうして、それが最初であり、また最後であるところの熱情のほかには、なんにも望んでいなかったのです。わたしは全く幸福であるといえたかもしれません。しかし唯ひとつの苦しみは、毎夜呪わしい夢魔におそわれることで、貧しい村の司祭として終日自分の乱行を懺悔し、また滅罪の苦行をしている有様を夢みるのでした。

いつも彼女と一緒にいるために安心して、わたしはクラリモンドの変わった様子について別に考えもしませんでしたが、セラピオン師が彼女について語った言葉は時どきにわたしの記憶を喚び起こして、不安な心持ちを去るというわけにはゆきませんでした。

どうかすると、クラリモンドの健康が以前のようによくないことがありました。彼女の皮膚は日に日に蒼ざめて、呼ばれて来た医者たちにもその病症がわからず、どうにも療治のしようがないことがありました。医者たちはみな訳（わけ）のわからない薬をくれましたが、どれも無効で二度と呼ばれた者はありませんでした。彼女の色の蒼さは眼に見えるほどにいや増して、からだはだんだんに冷たく、さきの夜、かの見知らぬ城の中にあったように、白く死んでゆくのでした。わたしはその枯れ死んでゆく姿を見て、言うに言われない苦悶を感じました。彼女はわたしの苦しみに感動して、死なければならない人間の感ずるような、運命的な微笑を美しく、また悲しそうに浮かべていました。

ある朝のことでした。わたしは彼女の寝台のそばの小さい食卓で朝食をすませた後、わずかの間も離れてはならないと彼女のそばに腰をかけていました。その時に果物の皮をむいていると、誤まって自分の指に深く切り込んだのです。小さい紫色の血がすぐにほとばしり出て、いくらかクラリモンドにもかかったかと思うと、その顔色は急に変わって、今までの彼女にかつて見たことのない野蛮な、残忍な喜びの表情を帯びて来ました。彼女は動物のような身軽さ――あたかも猿か猫のように軽く飛び降りて、わたしの傷口に飛びついて、いかにも嬉しそうな様子でその血を吸い始めたのです。

彼女は小さい口いっぱいに――あたかも酒好きの人間がクセレスかシラクサの酒を味わっているように、ゆっくりと注意ぶかく飲むのでした。その瞳（ひとみ）はだんだんに半ばとじられて、緑色の眼の円（まる）い瞳孔（ひとみ）が楕円形にかわって来ました。彼女は時どきにわたしの手に接吻するために、血を吸うことをやめましたが、さらに赤い血のにじみ出るのを待って、傷に口唇を持っていくのでした。血がもう出ないのを知ると、彼女の眼は瑞みずしく輝いて、五月の夜明けよりも薔薇色になって起ち上がりました。顔の色も生きいきとして、手にも温かいうるみが出て、今までよりもさらに美しく、まったく健康体のようになっているのです。

「わたしは死なないわ、死なないわ」と、彼女は半気ちがいのようになって、わたしの頸にかじりついて叫びました。

「わたしはまだ長い間あなたを愛することが出来るわ。わたしの生命はあなたのものです。わたしのからだはすべてあなたから貰ったのです。あなたの尊い、高価な、この世界にあるどの霊薬よりも優れて高価な血のいく滴が、わたしの生命を元の通りにしてくれたのですわ」

この光景は永く私をおびやかして、クラリモンドについては不思議な疑問を起こさせました。その夜、わたしが寝床にはいると、睡眠は私を誘い出して、むかしの司祭館に連れ戻しました。わたしはセラピオン師が今までよりもいっそう厳粛な不安らしい顔をしているのを見ました。彼は私をじっと見つめていましたが、やがて悲しそうに叫びました。

「あなたは魂を失うばかりではない、今はその身をも失おうとしている。堕落した若い人は、実に恐ろしいことになっている」

その言葉の調子は私を強く動かしました。しかしその時の印象がまざまざとしていたにもかかわらず、それもすぐに私から消えていって、ほかのさまざまな考えも皆わたしの心から去ってしまいました。

六

とうとうある晩のことでした。わたしが鏡を見ていると、その鏡に彼女の姿が映っていることを覚らずに、クラリモンドはいつも二人の食卓のあとで使うことにしている、薬味を入れた葡萄酒の盃のなかに、何かの粉を入れているのです。それが鏡に映ったので、わたしは盃を手にとって、口のところに持ってゆく真似をして、そばにある器物の上に置きました。彼女がうしろを向いたときに、私はその盃のものをテーブルの下にそっとこぼして、それから自分の部屋に帰って寝床についたのですが、今夜はけっして睡るまい、そうして、このすべての不思議なことについて何かの発見をしようと決心しました。

間もなくクラリモンドは夜の服を着てはいって来ましたが、服をぬぐとわたしの寝台に這い上がって来て、私のそばに横になりました。彼女はわたしが寝ていることを確かめると、やがてわたしの腕をまくりました。そうして、髪から黄金のピンを抜き取ると、低い声で言いました。

「一滴……ほんの一滴よ。この針のさきへ紅玉ほど……あなたがまだ愛して下さるなら、わたしは死んではならないわ。……ああ、悲しい恋……。あなたの美しい、紫色の輝いた血をわたしは飲まなければならない。お寝みなさい、わたしの貴い宝……。お寝みなさい、わたしの神様、わたしの坊ちゃん……。わたしはあなたに悪いことをするのではないのよ。わたしはあなたは永久に失くならないように、あなたの生命を吸わなければならないのよ。わたしはあなたをたいへんに愛していたので、ほかの恋びとの血を吸うことに決めていたの。しかし、あなたを知ってからは、ほかの人たちは忌になったわ……。ああ、綺麗な腕……。なんという円い、なんという白い腕でしょう。どうしたらこんなに綺麗な青い血管が刺せるでしょう」

　彼女は独りごとを言いながらさめざめと泣くのです。わたしはその涙がわたしの腕を濡らすのを覚え、彼女がその手でしがみつくのを感じました。そのうちに彼女はとうとう決心して、ピンでわたしの腕を軽く刺して、そこから滲み出る血を吸いはじめました。二、三滴しか飲まないのに、彼女はもうわたしが眼を醒ますのを怖れて、傷口をこすって膏薬を貼って、注意深くわたしの腕に小さい繃帯を巻きつけたので、その痛みはすぐに去りました。

もう疑う余地はなくなりました。セラピオン師の言葉は間違ってはいませんでした。この明らかな事実を知ったにもかかわらず、わたしはまだクラリモンドを愛さずにはいられませんでした。私はみずから進んで、彼女の不自然な健康を保持させるために、欲しがるだけの生き血をあたえました。そうしてまた、彼女を恐れてもいませんでした。彼女も自分を吸血鬼(ヴァンパイア)と思ってくれるなと歎願するようでした。わたしも今まで見聞したところによって、さらにそれを疑いませんでしたので、一滴ずつの血をそれほどに惜しくも思いませんでした。私はむしろ自分から腕の血管をひらいて、「さあ、飲むがいい。わたしの愛がわたしの血と一緒におまえの血に沁み込んでゆけば何よりだ」と言ったのです。それでも私は、彼女に麻酔するほど飲ませたり、またはピンを刺させたりすることは、常に注意して避けていたので、二人はまったく調和した生活を保っていたのです。

それでも僧侶として、わたしの良心の呵責(かしゃく)は今まで以上にわたしを苦しめ始めました。わたしはいかなる方法で自分の肉体を抑制し、浄化することが出来るかについて、まったく途方(とほう)に暮れたのです。かの多くの幻覚が無意識の間に起こったにもせよ、直接に私がそれを行なわなかったにもせよ、それが夢であるにせよ、事実であるにせよ、かくのごとき淫蕩に汚(よご)れた心と汚れたる手をもって、クリストの身に触れることは出来ませんでした。

わたしはこの不快な幻覚に誘われない手段として、睡眠におちいらないことに努めました。わたしは指で自分の眼瞼をおさえ、壁にまっすぐに倚りかかって何時間も立ちつづけ、出来る限り睡気と闘いました。しかし睡気は相変わらずわたしの眼を襲って来て我慢がつかず、絶望的な不快のうちに両腕はおのずとおろされて、睡りの波は再びわたしを不誠実の岸へ運んでゆくのでした。

セラピオン師は最もはげしい訓告をあたえて、わたしの柔弱と、熱意の不足をきびしく責めました。ついにある日、わたしが例よりも更に悩んでいる時に、彼は言いました。

「あなたがこの絶えざる苦悩から逃がれ得るただひとつの道は、非常手段によらなければなりません。大いなる病苦は大いなる療治を要する。わたしはクラリモンドが埋められている場所を知っている。わたしたちは彼女の亡骸を発掘して見る必要がある。そうして、あなたの愛人がどんな憐れな姿をしているかをご覧なさい。さすれば、あの虫ばんだ不浄の死体――土になるばかりになっている死体のために、あなたの魂を失うようなことはありますまい。かならずあなたを元へ引き戻すに相違ないと思います」

わたしとしても、たとい一時は満足したとはいえ、二重の生活にはもうあきました。自分は空想の犠牲になっている紳士であるか、または僧侶であるか、ということをはっきり確かめたいと思いました。わたしは自分のうちにあるこの二人に対して、どちらかを殺して他を生かすか、あるいは両方ともに殺すか、とても現在の恐ろしい状態には長く堪えられないと決心したのであります。

セラピオン師は鶴嘴(つるはし)と梃(てこ)と、提灯とを用意して来ました。そうして夜なかに、わたしたちは——墓道を進みました。その付近や墓場の勝手を僧院長はよく心得ていました。たくさんの墓の碑銘をほの暗い提灯に照らし見た末に、二人は長い雑草にかくされて、苔(こけ)がむして、寄生植物の生えている石板のあるところに行き着きました。碑銘の前文を判読すると、こうありました。

ここにクラリモンド埋めらる
在りし日に
最も美しき女として聞こえありし。

「ここに相違ない」と、セラピオン師はつぶやきながら提灯を地面におろしました。

彼は梃を石板の端から下へ押し入れて、それをもたげ始めました。石があげられると、さらに鶴嘴で掘りました。夜よりも暗い沈黙のうちに、わたしは彼のなすがままに眺めていると、彼は暗い仕事の上に身をかがめて、汗を流して掘っています。彼は死に瀕した人のように、絶えだえの呼吸(いき)をはずませています。実に怪しい物すごい光景で、もし人にこれを見せたらば、確かに神に仕うる僧侶とは思われず、何か瀆(けが)れたる悪漢(わるもの)か、屍衣(しい)の盗人(ぬすびと)と、思い違えられたであろうと察せられました。

熱心なセラピオン師の厳峻と乱暴とは、使徒とか天使とかいうよりも、むしろ一種の悪魔のふうがありました。その鷲のような顔を始めとして、すべて厳酷な相貌が灯のひかりにいっそう強められて、この場合における不愉快な想像力をいよいよ高めました。わたしの額には氷のような汗が大きいしずくとなって流れ、髪の毛は怖ろしさに逆立ちました。苛酷なセラピオン師は実に悪むべき瀆神の行為を働いているように感じられ、われわれの上に重く渦巻いている黒雲のうちから雷火がひらめき来たって、彼を灰にしてしまえと、わたしは心ひそかに祈りました。

糸杉の梢に巣をくむ梟は灯の光りにおどろいて飛び立ち、灰色のつばさを提灯のガラスに打ち当てながら悲しく叫びます。野狐も闇のなかに遠く啼いています。そのほかにも数知れない無気味な音がこの沈黙のうちに響いて来ました。最後にセラピオン師の鶴嘴が棺を撃つと、棺は激しい音を立てました。彼はそれをねじ廻して、蓋を引きのけました。さてかのクラリモンドは——と見ると、彼女は大理石像のような青白い姿で、両手を組みあわせ、頭から足へかけて白い屍衣一枚をかけてあるだけでした。彼女の色もない口の片はしに、小さい真っ紅な一滴が露のように光っていました。セラピオン師はそれを見ると、大いに怒りを発しました。

「おお、悪魔がここにいる。汚れたる娼婦！　血と黄金を吸うやつ！」

それから彼は死骸と棺の上に聖水をふりかけて、その上に聖水の刷毛をもって十字を切りました。哀れなるクラリモンド――彼女は聖水のしぶきが振りかかるやいなや、美しい五体は土となって、ただの灰と、なかば石灰に化した骨と、ほとんど形もないような塊になってしまいました。

冷静なセラピオン師は、いたましい死灰を指さして叫びました。

「ロミュオー卿、あなたの情人をご覧なさい。こうなっても、あなたはまだこの美人ともに、リドの河畔やフュジナを散歩しますか」

わたしは両手で顔をおおって、大いなる破滅の感に打たれました。わたしは司祭館に帰りました。

クラリモンドの愛人として身分の高いロミュオー卿は、長いあいだ不思議な道連れであった僧侶の身から離れてしまったのです。しかもただ一度、それは前の墓ほり事件の翌晩でしたが、わたしはクラリモンドの姿を見ました。彼女は初めて教会の入り口でわたしに言ったと同じことを言いました。

「不幸なかた、ほんとうに不幸なかた……。どうしてあなたは、あんな馬鹿な坊さんの言うことを肯きなすったのです。あなたは不幸でありませんか。わたしのみじめな墓を侮辱されたり、うつろな物をさらけ出されたりするような悪いことを、わたしはあなたに仕向けたでしょうか。あなたとわたしとの間の霊魂や肉体の交通は、もう永遠に破壊されてしまいました。さようなら。あなたはきっと私のことを後悔なさるでしょう」

彼女は煙りのように消えて、二度とその姿を見せませんでした。

ああ、彼女の言葉は真実となりました。わたしは彼女のことをいくたび歎いたか分かりません。いまだに彼女のことを後悔しています。わたしの心はそのご落ちついて来ましたが、神様の愛も彼女の愛に換えるほどに大きくはありませんでした。

皆さん。これはわたしの若い時の話です。けっして女を見るものではありません。戸外を歩く時は、いつでも地の上に眼をしっかりと据えて歩かなければなりません。どんなに清く注意ぶかく自分を保っていても、一瞬間のあやまちが永遠に取りかえしのつかないことになってしまうものです。

信号手

ディッケンズ

ディッケンズ Charles Dickens

一八一二年二月七日、英国ポートシーに生まる。十九世紀における英国第一の小説家。晩年ステープルハーストにおける鉄道事故のために負傷し、爾来いちじるしく健康を害し、それより五年後の一八七〇年六月九日逝く。死ぬるの日までペンを措(お)かざりしと伝えられる。

「おぅい、下にいる人！」

わたしがこう呼んだ声を聞いたとき、信号手は短い棒に巻いた旗を持ったままで、あたかも信号所の小屋の前に立っていた。この土地の勝手を知っていれば、この声のきこえた方角を聞き誤まりそうにも思えないのであるが、彼は自分の頭のすぐ上の嶮しい断崖の上に立っている私を見あげもせずに、あたりを見まわして更に線路の上を見おろしていた。

その振り向いた様子が、どういう訳であるか知らないが少しく変わっていた。実をいうと、わたしは高いところから烈しい夕日にむかって、手をかざしながら彼を見ていたので、深い溝に影を落としている信号手の姿はよく分からなかったのであるが、ともかくも彼の振り向いた様子は確かにおかしく思われたのである。

「おぅい、下にいる人！」

彼は線路の方角から振り向いて、ふたたびあたりを見まわして、初めて頭の上の高いところにいる私のすがたを見た。

「どこか降りる所はありませんかね。君のところへ行って話したいのだが……」

彼は返事もせずにただ見上げているのである。わたしも執拗く二度とは聞きもせずに見おろしていると、あたかもその時である。最初は漠然とした大地と空気との動揺が、やがて激しい震動に変わってきた。わたしは思わず引き倒されそうになって、あわてて後ずさりをすると、急速力の列車があたかも私の高さに蒸気をふいて、遠い景色のなかへ消えて行った。

ふたたび見おろすと、かの信号手は列車通過の際に揚げていた信号旗を再び巻いているのが見えた。わたしは重ねて訊いてみると、彼はしばらく私をじっと見つめていたが、やがて巻いてしまった旗をかざして、わたしの立っている高い所から二、三百ヤードの遠い方角を指し示した。

「ありがとう」

私はそう言って、示された方角にむかって周囲を見廻すと、そこには高低のはげしい小径があったので、まずそこを降りて行った。断崖はかなりに高いので、ややもすれば真っ逆さまに落ちそうである。その上に湿りがちの岩石ばかりで、踏みしめるたびに水が滲み出して滑りそうになる。そんなわけで、わたしは彼の教えてくれた道をたどるのがまったく忌(いや)になってしまった。

私がこの難儀な小径を降りて、低い所に来た時には、信号手はいま列車が通過したばかりの軌道(レール)の間に立ちどまって、私が出てくるのを待っているらしかった。

信号手は腕を組むような格好をして、左の手で顎(あご)を支え、その肱(ひじ)を右の手の上に休めていたが、その態度はなにか期待しているような、また深く注意しているようなふうにみえたので、わたしも怪訝(けげん)に思ってちょっと立ちどまった。

わたしは再びくだって、ようやく線路とおなじ低さの場所までたどり着いて、はじめて彼に近づいた。見ると、彼は薄黒い髭(ひげ)を生やして、睫毛(まつげ)の深い陰鬱な青白い顔の男であった。その上に、ここは私が前に見たよりも荒涼陰惨というべき場所で、両側には峨峨(がが)たる湿(しめ)っぽい岩石ばかりがあらゆる景色をさえぎって、わずかに大空を仰ぎ観るのである。一方に見えるのは、大いなる牢獄としか思われない曲がりくねった岩道の延長があるのみで、他の一方は暗い赤い灯のあるところで限られた、そこには暗黒なトンネルのいっそう暗い入り口がある。その重苦しいような畳み石は、なんとなく粗野(そや)で、しかも人を圧するような、堪(た)えられない感じがする上に、日光はほとんどここへ映(さ)し込まず、土臭い有毒らしい匂いがそこらにただよって、どこからともなしに吹いて来る冷たい風が身に沁みわたった。私はこの世にいるような気がしなくなった。

彼が身動きをする前に、私はそのからだに触れるほどに近づいたが、彼はやはり私を見つめている眼を離さないで、わずかにひと足あとずさりをして、挨拶の手を挙げたばかりであった。前にもいう通り、ここはまったく寂しい場所で、それが向こうから見たときにも私の注意をひいたのである。おそらくたずねて来る人は稀であるらしく、また稀に来る人をあまり歓迎もしないらしく見えた。

わたしから観ると、彼は私が長い間どこかの狭い限られた所にとじこめられていて、それが初めて自由の身となって、鉄道事業といったような重大なる仕事に対して、新たに眼ざめたる興味を感じて来た人間であると思っているらしい。私もそういうつもりで彼に話しかけたのであるが、実際はそんなこととは大違いになって、むしろ彼と会話を開かない方が仕合わせであったどころか、更に何か私をおびやかすようなものがあった。

彼はトンネルの入り口の赤い灯の方を不思議そうに見つめて、何か見失ったかのように周囲を見まわしていたが、やがて私の方へ向き直った。あの灯は彼が仕事の一部であるらしく思われた。

「あなたはご存じありませんか」と、彼は低い声で言った。

その動かない二つの眼と、その幽暗な顔つきを見た時に、彼は人間ではなく、あるいは幽霊ではないかという怪しい考えが私の胸に浮かんで来たので、私はそのご絶えず彼のこころに感受性を持つかどうかを注意するようになった。

私はひと足さがった。そうして、彼がひそかに私を恐れている眼色を探り出した。これで彼を怪しむ考えもおのずと消えたのである。

「君はなんだか私を怖(こわ)そうに眺めていますね」と、私はしいて微笑(ほほえ)みながら言った。

「どうもあなたを以前に見たことがあるようですが……」と、彼は答えた。

「どこで……」

彼はさきに見つめていた赤い灯を指さした。

「あすこで……？」と、わたしは訊いた。

彼は非常に注意ぶかく私を打ちまもりながら、音もないほどの低い声で「はい」と答えた。

「冗談じゃあない。私がどうしてあんなところに行っているものですか。かりに行くことがあるとしても、今はけっしてあすこにいなかったのです。そんなはずはありませんよ」

「わたしもそう思います。はい、確かにおいでにならないとは思いますが……」

彼の態度は、わたしと同じようにはっきりしていた。彼は私の問いに対しても正確に答え、よく考えてものを言っているのである。彼はここでどのくらいの仕事をしているかといえば、彼は大いに責任のある仕事をしているといわなければならない。まず第一に、正確であること、注意ぶかくあることが、何よりも必要であり、また実務的の仕事という点からみても、彼に及ぶものはないのである。信号を変えるのも、燈火(あかり)を照らすのも、転轍(てんてつ)のハンドルをまわすのも、みな彼自身の頭脳の働きによらなければならない。

こんなことをして、彼はここに長い寂しい時間を送っているように見えるが、彼としては自分の生活の習慣が自然にそういう形式をつくって、いつのまにかそれに慣れてしまったというのほかはあるまい。こんな谷のようなところで、彼は自分の言葉を習ったのである。単にものを見ただけで、それを粗雑ながらも言葉に移したのであるから、習ったといえばいえないこともないかも知れない。そのほかに分数や小数を習い、代数も少し習ったが、その文字などは子供が書いたように拙(まず)いものである。

いかに職務であるとはいえ、こんな谷間の湿(しめ)っぽい所にいつでも残っていなければならないのか。そうして、この高い石壁のあいだから日光を仰ぎに出ることは出来ないものか。それは時間と事情が許さないのである。ある場合には、線路の上にいるよりも他の場所にいることもないではなかったが、夜と昼とのうちで、ある時間だけはやはり働かなければならないのである。天気のいい日に、ある機会をみて少しく高い所へ登ろうと企てることもあるが、いつも電気ベルに呼ばれて、幾倍の心配をもってそれに耳を傾けなければならないことになる。そんなわけで、彼が救われる時間は私の想像以上に少ないのであった。

彼は私を自分の小屋へ誘っていった。そこには火もあり、机の上には何か記入しなければならない職務上の帳簿や指針盤（ししんばん）の付いている電信機や、それから彼がさきに話した小さい電気ベルがあった。わたしの観るところによれば、彼は相当の教育を受けた人であるらしい。少なくとも彼の地位以上の教育を受けた人物であると思われるが、彼は多数のなかにたまたま少しく悧口（りこう）な者がいても、そんな人間は必要でないと言った。そういうことは工場の中にも、警察官の中にも、軍人の中にもしばしば聞くことで、どこの鉄道局のなかにも多少は免（まぬか）れないことであると、彼はまた言った。

彼は若いころ、学生として自然哲学を勉強して、その講義にも出席しているが、中途から乱暴を始めて、世に出る機会をうしなって、次第に零落して、ついにふたたび頭をもたげることが出来なくなった。ただし、彼はそれについて不満があるでもなかった。すべてが自業自得（じごうじとく）で、これから方向を転換するには、時すでに遅しというわけであった。

かいつまんで言えばこれだけのことを、彼はその深い眼で私と火とを見くらべながら静かに話した。彼は会話のあいだに時どきに貴下（サー）という敬語を用いた。殊（こと）に自分の青年時代を語るときに多く用いていたのは、わたしが想像していた通り、彼が相当の教育を受けた男であることを思わせたのである。

こうして話している間にも、彼はしばしば小さいベルの鳴るのに妨げられた。彼は通信を読んだり、返信を送ったりしていた。またある時はドアの外へ出て、列車が通過の際に信号旗を示し、あるいは機関手にむかって何か口で通報していた。彼が職務を執るときは非常に正確で注意ぶかく、たとい談話の最中でもはっきりと区切りをつけ、その目前の仕事を終わるまではけっして口をきかないというふうであった。

ひと口にいえば、彼はこういう仕事をする人としては、その資格において十分に安心できる人物であるが、ただ不思議に感じられたのはある場合に――それは彼が私と話している最中であったが、彼は二度も会話を中止して、鳴りもしないベルの方に向き直って、顔の色を変えていたことであった。彼はそのとき、戸外のしめった空気を防ぐためにとじてあるドアをあけて、トンネルの入り口に近い、かの赤い灯を眺めていた。この二つの出来事ののち、彼はなんとも説明し難い顔つきをして、火のほとりに戻って来たが、そのあいだに別に変わったこともないらしかった。

彼に別れて起ち上がるときに、私は言った。

「君はすこぶる満足のように見うけられますね」

「そうだとは信じていますが……」と、彼は今までにないような低い声で付け加えた。「しかし私は困っているのです。実際、困っているのです」

「なんで……。何を困っているのです」

「それがなかなか説明できないのです。それが実に……実にお話しのしようがないので……。またおいでになった時にでもお話し申しましょう」

「わたしも、また来てもいいのですが……。いつごろがいいのです」

「わたしは朝早くここを立ち去ります。そうして、あしたの晩の十時には、またここにいます」

「では十一時ごろに来ましょう」

「どうぞ……」と、彼は私と一緒に外へ出た。そうして、極めて低い声で言った。

「路のわかるまで私の白い燈火を見せましょう。路がわかっても、声を出さないで下さい。上へ行き着いた時にも呼ばないで下さい」

その様子がいよいよ私を薄気味わるく思わせたが、私は別になんにも言わずに、ただ、はいはいと答えておいた。

「あしたの晩おいでの時にも呼ばないで下さい。それから少しおたずね申しますが、どうしてあなたは今夜おいでの時に〈おうい、下にいる人!〉と、お呼びになったのです」

「え。私がそんなようなことを言ったかな」

「そんなようなことじゃありません。あの声は私がよく聞くのです」

「私がそう言ったとしたら、それは君が下の方にいたからですよ」

「ほかに理由はないのですな」

「なにか、超自然的の力が、あなたにそう言わせたようにお思いにはなりませんか」

「いいえ」

彼は「さようなら」という代りに、持っている白い燈火をかかげた。

私はあとから列車が追いかけて来るような不安な心持ちで、下り列車の線路のわきを通って自分の路を見つけた。その路はさきに下って来たときよりも容易に登ることが出来たので、さしたる冒険もなしに私の宿へ帰った。


約束の時間を正確に守って、わたしは次の夜、ふたたびかの高低のひどい坂路に足をむけた。遠い所では、時計が十一時を打っていた。彼は白い燈火を掲げながら、例の低い場所に立って私を待っていた。わたしは彼のそばへ寄った時に訊いた。

「わたしは呼ばなかったが……。もう話してもいいのですか」

「よろしいですとも……。今晩は……」と、彼はその手をさし出した。

「今晩は……」と、わたしも手をさし出して挨拶した。それから二人はいつもの小屋へはいってドアをしめて、火のほとりに腰をおろした。

椅子に着くやいなや、彼はからだを前にかがめて、ささやくような低い声で言った。

「わたしが困っているということについて、あなたが重ねておいでになろうとは思っていませんでした。実は昨晩は、あなたをほかの者だと思っていたのですが……。それが私を困らせるのです」

「それは思い違いですよ」

「もちろん、あなたではない。そのある者が私を困らせるので……」

「それは誰です」

「知りません」

「わたしに似ているのですか」

「わかりません。私はまだその顔を見たことはないのです、左の腕を顔にあてて、右の手を振って……激しく振って……。こんなふうに……」

わたしは彼の動作を見つめていると、それは激しい感情を苛立(いらだ)たせているような腕の働き方で、彼は「どうぞ退(ど)いてくれ」と叫ぶように言った。そうして、また話し出した。

「月の明かるい、ある晩のことでした。私がここに腰をかけていると〈おぅい、下にいる人!〉と呼ぶ声を聞いたのです。私はすぐに起(た)って、そのドアの口から見ると、トンネルの入り口の赤い灯のそばに立って、今お目にかけたように手を振っている者がある。その声は叫ぶような唸るような声で〈見ろ、見ろ〉という。つづいてまた〈おぅい、下にいる人！　見ろ、見ろ〉という。わたしは自分のランプを赤に直して、その者の呼ぶ方角へ駈けて行って〈どうかしましたか、何か出来しましたか。いったいどこです〉とたずねると、その者はトンネルの暗やみのすぐ前に立っているのです。私はさらに近寄ってみると、不思議なことには、その者は袖を自分の眼の前にあてている。私はまっすぐに進んで行って、その袖を引きのけてやろうと手をのばすと、もうその形は見えなくなってしまったのです」

「トンネルの中へでもはいったかな」と、わたしは言った。

「そうではありません。私はトンネルの中へ五百ヤードも駈け込んで、わたしの頭の上にランプをさしあげると、前に見えたその者の影がまた同じ距離に見えるのです。そうして、トンネルの壁をぬらしている雫が上からぽたぽたと落ちています。わたしは職務という観念があるので、初めよりも更に迅い速度でそこを駈け出して、自分の赤ランプでトンネルの入り口の赤い灯のまわりを見まわしたのち、その赤い灯の鉄梯子をつたって、頂上の展望台に登りました。それからまた降りて来て、そこまで駈けて戻りましたが、どうも気になるので、上り線と下り線とに電信を打って〈警戒の報知が来た。何か事故が起こったのか〉と問い合わせると、どちらからも同じ返事が来て〈故障なし〉……」

この話を聞かされて、なんだか背骨がぞっとするような心持ちになったが、私はそれを堪えながら、そんなあやしい人影などはなにかの視覚のあやまりである。あらぬものの影を見たりするのは神経作用から起こるもので、病人などにはしばしばその例を見ることがあると話して聞かせた。また、そんな人びとのうちには、そういう苦悩を自覚し、それを自分で実験している人さえあるということをも話した。

「その叫び声というのも……」と、わたしは言った。「まあ、すこしのあいだ聴いていてご覧なさい。こんな不自然な谷間のような場所では、われわれが小さい声で話している時に、電信線が風にうなるのを聞くと、まるで竪琴を乱暴に鳴らしているように響きますからね」

彼はそれに逆らわなかった。二人はしばらく耳をかたむけていると、風と電線との音が実際怪しくきこえるのであった。彼も幾年のあいだ、ここに長い冬の夜を過ごして、ただひとりで寂しくそれを聴いていたのである。しかも彼は、自分の話はまだそれだけではないと言った。

わたしは中途で口をいれたのを謝して、更にそのあとを聴こうとすると、彼は私の腕に手をかけながら、またしずかに話し出した。

「その影があらわれてから六時間ののちに、この線路の上に怖ろしい事件が起こったのです。そうして十時間ののちには、死人と重症者がトンネルの中から運ばれて、ちょうどその影のあらわれた場所へ来たのです」

わたしは不気味な戦慄を感じたが、つとめてそれを押しこらえた。この出来事はさすがに譃であるとはいえない。まったく驚くべき暗合で、彼のこころに強い印象を残したのも無理はない。しかも、かくのごとき驚くべき暗合がつづいて起こるというのは、必ずしも疑うべきことではなく、こういう場合も往々にあり得るということを勘定のうちに入れておかなければならない。もちろん、世間多数の常識論者は、とかく人生の上に生ずる暗合を信じないものではあるが――

彼の話は、まだそれだけではないというのである。私はその談話をさまたげたことを再び詫びた。

「これは一年前のことですが……」と、彼は私の腕に手をかけて、うつろな眼で自分の肩を見おろしながら言った。「それから六、七カ月を過ぎて、私はもう以前の驚きや怖ろしさを忘れた時分でした。ある朝……夜の明けかかるころに、わたしがドアの口に立って、赤い灯の方をなに心なく眺めると、またあの怪しい物が見えたのです」

ここまで話すと、彼は句を切って、私をじっと見つめた。

「それがなんとか呼びましたか」

「いえ、黙っていました」

「手を振りませんでしたか」

「振りません。燈火の柱に倚りかかって、こんなふうに両手を顔に当てているのです」

わたしは重ねて彼の仕科を見たが、それは私がかつて墓場で見た石像の姿をそのままであった。

「そこへ行って見ましたか」

「いえ、私は内へはいって、腰をおろして、自分の気を落ちつけようと思いました。それがために私はいくらか弱ってしまったからです。それから再び外へ出てみると、もう日光が映していて、幽霊はどこへか消え失せてしまいました」

「それから何事も起こりませんでしたか」

彼は指のさきで私の腕を二、三度押した。その都度に、彼は怖ろしそうにうなずいたのである。

「その日に、列車がトンネルから出て来たとき、私の立っている側の列車の窓で、人の頭や手がごっちゃに出て、何かしきりに、振っているように見えたので、わたしは早速に機関手にむかって、停止の信号をしました。機関手は運転を停めてブレーキをかけました。列車は五百ヤードほども行き過ぎたのです。私がすぐに駈けてゆくと、そのあいだに怖ろしい叫び声を聞きました。美しい若い女が列車の貸切室のなかで突然に死んだのです。その女はこの小屋へ運び込まれて、ちょうどあなたと私とが向かい合っている、ここの処へ寝かしました」

彼がそう言って指さした場所を見おろしたとき、わたしは思わず自分の椅子をうしろへ押しやった。

「ほんとうです。まったくです。私が今お話をした通りです」

私はなんとも言えなくなった。私の口は乾き切ってしまった。外ではこの物語に誘われて、風や電線が長い悲しい唸り声を立てていた。

「まあ、聴いてください」と、彼はつづけた。「そうして、私がどんなに困っているか、お察しください。その幽霊が一週間前にまた出て来ました。それからつづいて、気まぐれのように時どきに現われるのです」

「あの灯のところに……？」

「あの危険信号燈のところにです」

「どうしているように見えますか」

彼は激しい恐怖と戦慄を増したような風情で「どうか退いてくれ！」と言うらしい仕科をして見せた。そうして、さらに話しつづけた。

「私はもうそれがために平和も安息も得られないのです。あの幽霊はなんだか苦しそうなふうをして、何分間もつづけて私を呼ぶのです。……〈下にいる人！　見ろ、見ろ〉……そうして、私を差し招くのです。そうして、その小さいベルを鳴らすのです」

私はそれを引き取って言った。

「では、私がゆうべ来ていたときに、そのベルが鳴ったのですか。君はそれがために戸のところへ出て行ったのですか」

「そうです。二度も鳴ったのです」

「どうもおかしいな」と、私は言った。「その想像は間違っているようですね。あのとき私の眼はベルの方を見ていて、私の耳はベルの方に向いていたのだから、私のからだに異状がない限りは、あのときにベルは一度も鳴らないと思いますよ。あのとき以外にも鳴りませんでした。もっとも、君が停車場と通信をしていたときは別だが……」

彼はかしらをふった。

「わたしは今までベルを聞き誤まったことは一度もありません。わたしは幽霊が鳴らすベルと、人間が鳴らすベルとを混同したことはありません。幽霊の鳴らすベルは、なんともいえない一種異様のひびきで、そのベルは人の眼にみえるように動くのではないのです。それがあなたの耳には聞こえなかったかも知れませんが、私には聞こえたのです」

「では、あのときに外を見たらば、怪しい物がいたようでしたか」

「あすこにいました」

「二度ながら……？」

「二度ながら……」と、彼ははっきりと言い切った。

「では、これから一緒に出て行って見ようじゃありませんか」

彼は下くちびるを噛みしめて、あまり行きたくない様子であったが、それでも故障なしに起ちあがった。私はドアをあけて階段に立つと、彼は入り口に立った。そこには危険信号燈が見える。暗いトンネルの入り口がみえる。ぬれた岩の高い断崖がみえる。その上にはいくつかの星がかがやいていた。

「見えますか」と、私は彼の顔に特別の注意を払いながら訊いた。

彼の眼は大きく――それはおそらくそこを見渡したときの私の眼ほどではなかったかもしれないが――緊張したように輝いていた。

「いえ、いません」

「わたしにも見えない」

二人は再びうちにはいって、ドアをしめて椅子にかかった。私はいまこの機会をいかによく利用しようかということを考えていたのである。たとい何か彼を呼ぶものがあるとしても、ほとんど真面目に論議するにも足らないような事実を楯にとって、彼がそれを当然のことのように主張する場合には、なんと言ってそれを説き導いてよかろうか。そうなると、わたしははなはだ困難な立場にあると思ったからである。

「これで、私がどんなに困っているかということが、あなたにもよくお分かりになったろうと思いますが、いったいなんであの幽霊が出るのでしょうか」

私は彼に対して、自分はまだ十分に理解したとは言いかねると答えると、彼はその眼を爐の火に落として、時どきに私の方をみかえりながら、沈みがちに言った。

「なんの知らせでしょうか。どんな変事が起こるのでしょうか。その変事はどこに起こるのでしょうか。線路の上のどこかに危険がひそんでいて、おそるべき禍いが起こるのでしょう。いままでのことを考えると、今度は三度目です。しかし、これはたしかに私を残酷に苦しめるというものです。どうしたらいいでしょうか」

彼はハンカチーフを取り出して、その熱いひたいからしたたる汗を拭いた。そうして、さらに手のひらを拭きながら言った。

「わたしが上下線の一方か、または両方へ危険信号を発するとしても、さてその理由をいうことが出来ないのです。私はいよいよ困るばかりで、碌なことにはなりません。みんなは私が気でも狂ったと思うでしょう。まずこんなことになります。……私が〈危険、警戒ヲ要ス〉という信号をすると、〈イカナル危険ナリヤ、場所ハイズコナリヤ〉という返事が来ます。それにたいして、私が〈ソレハ不明、ゼヒトモ警戒ヲ要ス〉と答えるとしたら、どうなるでしょう。結局わたしは免職になるのほかはありますまい」

彼の悩みは見るにたえないほどであった。こんな不可解の責任のために、その生活をもくつがえすということは、実直な人間にとって精神的苦痛に相違なかった。彼は黒い髪をうしろへ押しやって、極度の苦悩にこめかみをこすりながら言いつづけた。

「その怪しい影が初めて危険信号燈の下に立った時に、どこに事件が起こるかということを、なぜ私に教えてくれないのでしょう。それがどうしても起こるのなら……。そうしてまた、それが避けられるものならば、どうしたらそれを避けられるかということを、なぜ私に話してくれないのでしょう。二度目に来た時には顔を隠していましたが、なぜその代りに〈女が死ぬ、外へ出すな〉と言わないのでしょう。前の二度の場合は、その予報が事実となって現われることを示して、私に三度目の用意をしろと言うにとどまるならば、なぜもっとはっきりと私に説明してくれないのでしょう。悲しいかな、私はこの寂寥たるステーションにある一個の哀れなる信号手に過ぎないのです。彼はなぜ私以上に信用もあり実力もある人のところへ行かないのでしょうか」

このありさまを見た時に、私はこの気の毒な男のために、また二つには公衆の安全のために、自分としてはこの場合、つとめて彼の心を取り鎮めるように仕向けなければならないと思った。そこで私は、それが事実であるかないかというような問題を別にして、誰でもその義務をまっとうするほどの人は、せいぜいその仕事をよくしなければならないということを説きすすめると、彼は怪しい影の出現について依然その疑いを解かないまでも、自己の職責をまっとうするということについて一種の慰藉を感じたらしく、この努力は彼が信じている怪談を理屈で説明してやるよりも遙かに好結果を奏したのであった。

彼は落ちついてきた。夜の更けるにしたがって、彼は自分の持ち場に偶然おこるべき事故に対して、いっそうの注意を払うようになった。私は午前二時ごろに彼に別れて帰った。朝まで一緒にとどまっていようと言ったのであるが、彼はそれには及ばないと断わったのである。

わたしは坂路を登るときに、いくたびか、あの赤い灯をふり返って見た。その灯はどうも心持ちがよくなかった。もしあの下にわたしの寝床があったとしたら、私はおそらく眠られないであろう。まったくそうである。私はまた、鉄道事故と死んだ女との二つの事件についても、いい心持ちがしない。どちらもまったくそうである。しかもそれらのことよりも最も私の気にかかるのは、この打ち明け話を聴いた私の立ち場として、これをどうしたらいいかということであった。

かの信号手は相当に教育のある、注意ぶかい、丹念な確かな人間であるには相違ないが、ああいう心持ちでいた日には、それがいつまで続くやら分からない。彼の地位は低いけれども、最も重要な仕事を受け持っているのである。私もまた彼があくまでも、かの事件の探究を続けるという場合に、いつまでも一緒になって自分の暇をつぶしてはいられないのである。

わたしは彼が所属の会社の上役に書面をおくって、彼から聴いた顚末を通告しようかと思ったが、彼になんらの相談もしないで仲介の位地に立つことは、なんだか彼を裏切るような感じが強かったので、私は最後に決心して、この方面で知名の熟練の医師のところへ彼を同伴して、一応その医師の意見を聴くことにした。彼の話によると、信号手の交代時間は次の日の夜に廻って来るので、彼は日の出後一、二時間で帰ってしまって、日没後から再び職務に就くことになっているというので、私もひとまず帰ることにした。

次の夜は心持ちのいい晩で、わたしは遊びながらに早く出た。例の断崖の頂上に近い畑路を横ぎるころには、夕日がまだまったく沈んでいなかったので、もう一時間ばかり散歩しようと私は思った。半時間行って、半時間戻れば、信号手の小屋へ行くにはちょうどいい刻限になるのであった。

そこで、このそぞろ歩きをつづける前に、わたしは崖のふちへ行って、先夜初めて信号手を見た地点から何ごころなく見おろすと、私はなんとも言いようがないようにぞっとした。トンネルの入り口に近いところで、ひとりの男が左の袖を眼にあてながら、熱狂的にその右の手を振っているのである。

わたしを圧迫したその言い知れない恐怖は、一瞬間にして消え失せた。次の瞬間には、その男がほんとうの人間であることが分かったのである。それから少し離れたところには、いくらかの人がむらがっていて、かの男はその群れにむかって何かの手真似をしているのであった。危険信号燈にはまだ灯がはいっていなかった。私はこのとき初めて見たのであるが、信号燈の柱のむこうに小さい低い小屋があった。それは木材と脂布とで作られて、やっと寝台を入れるくらいの大きさであった。

何か変事が出来したのではないか。私が信号手ひとりをそこに残して帰ったがために、何か致命的の災厄が起こったのではあるまいか。だれも彼のすることを見ている者もなく、またそれを注意する者もなかったがために、何かの変事が出来したのではあるまいか。――こういう自責の念に駆られながら、私は出来るだけ急いで坂路を降りて行った。

「何事が起こったのです」と、私はそこらにいる人たちに訊いた。

「信号手が、けさ殺されたのです」

「この信号所の人ですか」

「そうです」

「では、わたしの知っている人ではないかしら」

「ご存じならば、お分かりになりましょう」と、一人の男が他に代って、丁寧に脱帽して答えた。そうして、脂布のはしをあげて、「まだ顔はちっとも変わっていません」

「おお。どうしたのです、どうしてこんなことになったのです」

小屋が再びしめられると、私は人びとを交るがわるに見まわしながら訊いた。

「機関車に轢(ひ)かれたのです。英国じゅうでもこの男ほど自分の仕事をよく知っている者はなかったのですが、あるいは外線のことについていくらか暗いところがあったと見えます。時は真っ昼間で、この男は信号燈をおろして、手にランプをさげていたのです。機関車がトンネルから出て来たときに、この男は機関車の方へ背中をむけていたものですから、たちまちに轢かれてしまいました。あの男が機関手で、今そのときの話をしているところです。おい、トム。このかたに話してあげるがいい」

粗末な黒い服を着ている男が、さきに立っていたトンネルの入り口に戻って来て話した。

「トンネルの曲線(カーブ)まで来たときに、そのはずれの方にあの男が立っている姿が遠眼鏡をのぞくように見えたのですが、もう速力をとめる暇(ひま)がありません。また、あの男もよく気がついていることだろうと思っていたのです。ところが、あの男は汽笛をまるで聞かないらしいので、私は汽笛をやめて、精いっぱいの大きい声で呼びましたが、もうその時にはあの男を轢き倒しているのです」

「なんと言って呼んだのです」

「下にいる人！　見ろ、見ろ。どうぞ退いてくれ。……と、言いました」

私はぎょっとした。

「実にどうも忌でしたよ。私はつづけて呼びました。もう見ているのがたまらないので、私は自分の片腕を眼にあてて、片手を最後まで振っていたのですが、やっぱり駄目でした」

　この物語の不思議な事情を詳細に説明するのはさておいて、終わりに臨んで私が指摘したいのは、不幸なる信号手が自分をおびやかすものとして、私に話して聞かせた言葉ばかりでなく、わたし自身が「下にいる人！」と彼を呼んだ言葉や、彼が真似てみせた手振りや、それらがすべて、かの機関手の警告の言葉と動作とに暗合しているということである。

ヴィール夫人の亡霊

デフォー

デフォー Daniel Defoe

一六五九年、英国ロンドンに生まる。肉屋の子であるともいい、牛殺しの子であるともいう。英国著名の作家、その作「ロビンソン漂流記」は最も世に知らる。一七三一年四月二十六日逝く。

この物語は事実であるとともに、理性に富んだ人たちにも、なるほどと思われるような出来事が伴っている。この物語はケント州のメイドストーン治安判事を勤めている非常に聡明な一紳士から、ここに書かれてある通りに、ロンドンにいる彼の一友人のところへ知らせてよこしたもので、しかもカンタベリーで、この物語に現われて来るバーグレーヴ夫人の二、三軒さきに住んでいる上記の判事の親戚で、冷静な理解力のある一婦人もまたこの事実を確証している。

したがって、治安判事は自分の親戚の婦人も確かに亡霊の存在を認めているものと信じ、また彼の友達にも極力この物語の全部はほんとうの事実だと断言している。そうして、その亡霊を見たというバーグレーヴ夫人自身の口から、この物語を聞いたままを治安判事に伝えたその婦人は、正直で、善良で、敬虔な一個の女性としてのバーグレーヴ夫人が、この事実談を一つの荒唐無稽な物語に粉飾するような婦人でないことを信じているのである。

私がこの事実談をここに引用したのは、この世の私たちの人生には更にまた一つの生活があって、そこに平等なる神は私たちが生きている間の行為にしたがって、それに審判をなされるのであるから、私たちは自分が現世でなして来たところの過去を反省しなければならない。また、私たちの現世の生命は短くて、いつ死ぬか分からないが、もし不信仰の罰をまぬかれて、信仰の酬い(むく)として来世における永遠の生命を把握(はあく)しようとするならば、今後すみやかに悔い改めて神に帰依(きえ)し、努めて悪をなさず、善をおこなおうと心がけなければならない。幸いに神が私たちに目をかけて下されて、神の御前(みまえ)で楽しく暮らせるような来世のために、現世において信仰の生活を導いて下さるならば、ただちに神を求めなければならないということを、お互いに考えんがためである。

この物語は、こうした種類の出来事のうちでも非常に珍らしく、実際をいうと、私が今まで書物の上で読んだり、人から聞いたりしたことなどは、この事実談ほどに私のこころを惹(ひ)かなかった。したがって、これは好奇心に富んだ、まじめな詮索家(せんさくか)を満足させるに十分であると思う。バーグレーヴ夫人は現在生きている人で、死んだヴィール夫人の亡霊が彼女のところに現われたのであった。

バーグレーヴ夫人は私の親しい友達で、私が知ってから最近の十五、六年のあいだ、彼女は世間の評判のよい夫人であったこと、また私が初めて近づきになった時でも、彼女は若い時そのままの純潔な性格の所有者であったことを確言し得る。それにもかかわらず、この物語以来、彼女はヴィール夫人の弟の友達などから誹謗されている。その人たちはこの物語を気違い沙汰だと思って、極力彼女の名声を挫こうとするとともに、一方には狼狽してその物語を一笑にふしてしまおうと努めている。しかも、こうした誹謗をこうむっている上に、さらに不行跡な夫からは虐待されているにもかかわらず、快活な性格の彼女は少しも失望の色をみせず、また、こういう境遇の婦人にしばしば見るような、始終なにかぶつぶつ言っているような鬱症におちいったということもかつて聞かず、夫の蛮的行為のまっ最中でも常に快活であったということは、私をはじめ他の多数の名望ある人びとも証人に立っているのである。

さてあなたに、ヴィール夫人は三十歳ぐらいの中年増のわりに、娘のような温和な婦人であったが、数年前に人と談話をしているうちに突然発病して、それから痙攣的の発作に苦しめられるようになったということを知っておいてもらわなければならない。彼女はドーバーに家を持っていた、たった一人の弟の厄介になっていた。彼女は非常に信心の厚い婦人であった。その弟は見たところ実に落ち着いた男であったが、今では彼はこの物語を極力打ち消している。ヴィール夫人とバーグレーヴ夫人とは子供のときからの親友であった。

子供時分のヴィール夫人は貧しかった。彼女の父親はその日の生活に追われて、子供の面倒まで見ていられなかった。その当時のバーグレーヴ夫人もまた同じように不親切な父親を持っていたが、ヴィール夫人のように衣食には事を欠かなかったのである。

ヴィール夫人はよくバーグレーヴ夫人にむかって、「あなたはいちばんいいお友達で、そうして世界にたった一人しかないお友達だから、どんな事があっても永久に私はあなたとの友情を失いません」と言っていた。

彼女らはしばしばお互いの不運を歎きあい、ドレリンコート（十七世紀におけるフランスの神学者）の「死」に関する著書や、その他の書物を一緒に読み、そうしてまた、二人のキリスト教徒の友達のように、彼女らは自分たちの悲しみを慰めあっていた。

その後、彼女はヴィールという男と結婚した。ヴィールの友達は彼を周旋（しゅうせん）してドーバーの税関に勤めるようにしたので、ヴィール夫人とバーグレーヴ夫人との交通は自然だんだんに疎遠になった。といって、別に二人の間が気まずくなったというわけではなかったが、とにかくにその心持ちが追いおいに離れていって、ついにバーグレーヴ夫人は二年半も彼女に逢わなかった。もっとも、バーグレーヴ夫人はその間の十二カ月以上もドーバーにはいなかった。また最近の半年のうちで、ほとんど二カ月間カンタベリーにある自分の実家に住んでいたのであった。

この実家で、一七〇五年九月八日の午前に、バーグレーヴ夫人はひとりで坐りながら、自分の不運な生涯を考えていた。そうして、自分のこうした逆境もみな持って生まれた運命であると諦めなければならないと、自分で自分に言い聞かせていた。そうして彼女はこう言った。

「私はもう前から覚悟をしているのであるから、運命にまかせて落ち着いていさえすればいいのだ。そうして、その不幸も終わるべき時には終わるであろうから、自分はそれで満足していればいいのだ」

そこで、彼女は自分の針仕事を取りあげたが、しばらくは仕事を始めようともしなかった。すると、ドアをたたく音がしたので、出て見ると、乗馬服を着けたヴィール夫人がそこに立っていた。ちょうどその時に、時計は正午の十二時を打っていた。

「あら、あなた……」と、バーグレーヴ夫人は言った。「ずいぶん長くお目にかからなかったので、あなたにお逢いすることが出来ようとは、ほんとうに思いも寄りませんでした」

それからバーグレーヴ夫人は彼女に逢えたことの喜びを述べて、挨拶の接吻を申し込むと、ヴィール夫人も承諾したようで、ほとんどお互いの口唇と口唇とが触れ合うまでになったが、手で眼をこすりながら「わたしは病気ですから」と言って接吻をこばんだ。彼女は旅行中であったが、何よりもバーグレーヴ夫人に逢いたくてたまらなかったので尋ねて来たと言った。

「まあ、あなたはどうして独り旅なぞにおいでになったのです。あなたには優しい弟さんがおありではありませんか」

「おお！」とヴィール夫人が答えた。「わたしは弟に内証で家を飛び出して来ました。わたしは旅へ立つ前に、ぜひあなたに一度お目にかかりたかったからです」

バーグレーヴ夫人は彼女と一緒に家へはいって、一階の部屋へ案内した。

ヴィール夫人は今までバーグレーヴ夫人が掛けていた安楽椅子に腰をおろして、「ねえ、あなた。私は再び昔の友情をつづけていただきたいと思います。それで今までのご無沙汰のお詫びながらに伺ったのです。ねえ、ゆるして下さいな。やっぱりあなたは私のいちばん好きなお友達なのですから」と、口をひらいた。

「あら、そんなことを気になさらなくってもいいではありませんか。私はなんとも思ってはいませんから、すぐに忘れてしまいます」と、バーグレーヴ夫人は答えた。

「あなたは私をどう思っていらっしゃって……」と、ヴィール夫人は言った。

「別にどうといって……。世間の人と同じように、あなたも幸福に暮らしていらっしゃるので、私たちのことを忘れているのだろうと思っていました」と、バーグレーヴ夫人は答えた。

それからヴィール夫人はバーグレーヴ夫人にいろいろの昔話をはじめて、その当時の友情や、逆境当時に毎日まいにち取りかわしていた会話のかずかずや、たがいに読み合った書物、特におもしろかった「死」に関するドレリンコートの著書——彼女はこうした主題の書物では、これがいちばんいいものであると言っていた——のことなどを思い出させた。それからまた、彼女はドクトル・シャロック（英国著名の宗教家）のことや、英訳された「死」に関するオランダの著書などについて語った。

「しかし、ドレリンコートほど死と未来ということを明確に書いた人はありません」と言って、彼女はバーグレーヴ夫人に何かドレリンコートの著書を持っていないかと訊いた。持っているとバーグレーヴ夫人が答えると、それでは持って来てくれと彼女は言った。バーグレーヴ夫人はすぐに二階からそれを持って来ると、ヴィール夫人はすぐに話し始めた。

「ねえ、バーグレーヴさん。もしも私たちの信仰の眼が肉眼のように開いていたら、私たちを守っているたくさんの天使が見えるでしょうに……。この書物でドレリンコートも言っているように、天国というものはこの世にもあるのです。それですから、あなたも自分の不運を不運と思わずに、全能の神様が特にあなたに目をお掛け下すっているのですから、不運が自分の役目だけを済ませてしまえば、きっとあなたから去ってしまうものと信じていらっしゃい。そうして、どうぞ私の言葉をも信じて下さい。あなたの今までの苦労なぞは、これからさきの幸福の一秒間で永遠に酬われます。神様がこんな不運な境遇にあなたの一生を終わらせるなどということは、私にはどうしても信じられません。もう今までの不運もあなたから去ってしまうか、さもなければ、あなたのほうでそれを去らせてしまうであろうと、私は確信しているのです」

こう言いながら彼女はだんだんに熱して来て、手のひらで自分の膝を叩いた。そのときの彼女の態度は純真で、ほとんど神のように尊くみえたので、バーグレーヴ夫人はしばしば涙を流したほどに深く感動した。

それからヴィール夫人はドクトル・ケンリックの「禁欲生活」の終わりに書いてある初期のキリスト信者の話をして、かれらの生活を学ぶことを勧めた。かれらキリスト信者の会話は現代人の会話と全然ちがっていたこと、すなわち現代人の会話は実に浮薄で無意味で、古代のかれらとは全然かけ離れている。かれらの言葉は教訓的であり、信仰的であったが、現代人にはそうしたところは少しもない。私たちはかれらのしてきたようにしなければならない。また、かれらの間には心からの友情があったが、現代人には果たしてそれがあるかというようなことを説いた。

「ほんとうに今の世の中では、心からの友達を求めるのはむずかしいことですね」と、バーグレーヴ夫人も言った。

「ノーリスさんが円満なる友情と題する詩の美しい写本を持っていられましたが、ほんとうに立派なものだと思いました。あなたはあの本をご覧になりましたか」

「いいえ。しかし私は自分で写したのを持っています」

「お持ちですか」と、ヴィール夫人は言った。「では、持っていらっしゃいな」

バーグレーヴ夫人は再び二階から持って来て、それを読んでくれとヴィール夫人に差し出したが、彼女はそれを拒(こば)んで、あまり俯向(うつむ)いていたので頭痛がして来たから、あなたに読んでもらいたいと言うので、バーグレーヴ夫人が読んだ。こうして、この二人の夫人がその詩に歌われたる友情をたたえていた時、ヴィール夫人は「ねえ、バーグレーヴさん。私はあなたをいつまでもいつまでも愛します」と言った。その詩のうちには極楽という言葉を二度も使ってあった。

「ああ、詩人たちは天国にいろいろの名をつけていますのね」と、ヴィール夫人は言った。

そうして、彼女は時どきに眼をこすりながら言った。「あなたは私が持病の発作(ほっさ)のために、どんなにひどく体をこわしているかをご存じないでしょう」

「いいえ。私には、やっぱり以前のあなたのように見えます」と、バーグレーヴ夫人は答えた。

すべてそれらの会話は、バーグレーヴ夫人がとてもその通りに思い出して言い現わすことが出来ないほど、非常にあざやかな言葉でヴィール夫人の亡霊によって進行したのであった。

（一時間と四十五分をついやした長い会話を全部おぼえていられるはずもなく、また、その長い会話の大部分はヴィール夫人の亡霊が語っているのである。）

ヴィール夫人は更にバーグレーヴ夫人にむかって、自分の弟のところへ手紙を出して、自分の指輪は誰だれに贈ってくれ、二カ所の広い土地は彼女の従兄弟（いとこ）のワトソンに与えてくれ、金貨の財布は彼女の私室（キャビネット）にあるということを書き送ってくれと言った。

話がだんだんに怪しくなってきたので、バーグレーヴ夫人はヴィール夫人が例の発作におそわれているのであろうと思った。ひょっとして椅子から床へ倒れ落ちては大変だと考えたので、彼女の膝の前にある椅子に腰をかけた。こうして、前の方を防いでいれば、安楽椅子の両側からは落ちる気づかいはないと思ったからであった。それから彼女はヴィール夫人を慰めるつもりで、二、三度その上着の袖を持ってそれを褒（ほ）めると、ヴィール夫人はこれは練絹で、新調したものであると話した。しかも、こうした間にもヴィール夫人は手紙のことを繰り返して、バーグレーヴ夫人に自分の要求を拒まないでくれと懇願するのみならず、機会があったら今日の二人の会話を自分の弟に話してやってくれとも言った。

「ヴィールさん、私にはあまり差し出がましくて、承諾していいか悪いか分かりません。それに、私たちの会話は若い殿方の感情をどんなに害するでしょう」と、バーグレーヴ夫人は渋るように言って、「なぜあなたご自身でおっしゃらないのです。私はそのほうがずっといいと思います」と付けたした。

「いいえ」と、ヴィール夫人は答えた。「今のあなたには差し出がましいようにお思いになるでしょうが、あとであなたにもわかる時があります」

そこで、バーグレーヴ夫人は彼女の懇願を容れるために、ペンと紙とを取りに行こうとすると、ヴィール夫人は、「今でなくてもよろしいのです。私が帰ったあとで書いてください、きっと書いて下さい」と言った。別れる時には彼女はなお念を押したので、バーグレーヴ夫人は彼女に固く約束したのであった。

彼女はバーグレーヴ夫人の娘のことを尋ねたので、娘は留守であると言った。「しかし、もし逢ってやって下さるならば、呼んで来ましょう」と答えると、「そうして下さい」と言うので、バーグレーヴ夫人は彼女を残しておいて、隣りの家へ娘を探しに行った。帰って来てみると、ヴィール夫人は玄関のドアの外に立っていた。きょうは土曜日で市の開ける日であったので、彼女はその家畜市のほうを眺めて、もう帰ろうとしているのであった。

バーグレーヴ夫人は彼女にむかって、なぜそんなに急ぐのかと訊ねると、彼女はたぶん月曜日までは旅行に出られないかもしれないが、ともかくも帰らなければならないと答えた。そうして、旅行する前にもう一度、従兄弟のワトソンの家でバーグレーヴ夫人に逢いたいと言った。それから彼女はもうお暇をしますと別れを告げて歩き出したが、町の角を曲がってその姿は見えなくなった。それはあたかも午後一時四十五分過ぎであった。

九月七日の正午十二時に、ヴィール夫人は持病の発作のために死んだ。その死ぬ前の四時間以上はほとんど意識がなかった。臨床塗油式はその間におこなわれた。

ヴィール夫人が現われた次の日の日曜日に、バーグレーヴ夫人は悪感がして非常に気分が悪かった上に、喉が痛んだので、その日は終日外出することが出来なかった。しかし、月曜の朝、彼女は船長のワトソンの家へ女中をやって、ヴィール夫人がいるかどうかを尋ねさせると、そこの家の人たちはその問い合わせに驚かされて、彼女は来ていない、また来るはずにもなっていないという返事をよこした。その返事を聞いても、バーグレーヴ夫人は信じなかった。彼女はその女中にむかって、たぶんおまえが名前を言い違えたのか、何かの間違いをしたのであろうと言った。

それから気分の悪いのを押して、彼女は頭巾をかぶって、自分と一面識のない船長ワトソンの家へ行って、ヴィール夫人がいるかどうかをまた尋ねた。そこの人たちは彼女の再度の問い合わせにいよいよ驚いて、「ヴィール夫人はこの町には来ていない、もし来ていれば、きっと自分たちの家へ来なければならない」と答えると、「それでも私は土曜日に二時間ほどヴィール夫人と一緒におりましたのですが……」と彼女は言った。

いや、そんなはずはない。もしそうだとすれば、第一自分たちがヴィール夫人に逢っていなければならないと、たがいに押し問答をしている間に、船長のワトソンがはいって来て、おおかた彼女が死んだので、お知らせがあったのだろうと言った。その言葉がバーグレーヴ夫人には妙に気がかりになったので、早速にヴィール夫人一家の面倒を見てやっていた人のところへ手紙で聞き合わせて、初めて彼女が死んだことを知った。

そこで、バーグレーヴ夫人はワトソンの家族の人たちに、今までの一部始終から、彼女の着ていた着物の縞柄や、しかもその着物は練絹であるといったことまでを打ち明けて話した。すると、ワトソン夫人は「あなたがヴィールさんをご覧になったとおっしゃるのは本当です。あの人の着物が練絹だということを知っている者は、あの人と私だけですから」と叫んだ。ワトソン夫人はバーグレーヴ夫人が彼女の着物について言ったことは、何から何まで本当であると首肯（しゅこう）して、「私が手伝ってあの着物を縫って上げたのです」と言った。

　そうして、ワトソン夫人は町じゅうにそのことを言いひろめながら、バーグレーヴ夫人がヴィール夫人の亡霊を見たのは事実であると、証明したので、その夫のワトソンの紹介によって、二人の紳士がバーグレーヴ夫人の家へたずねて来て、彼女自身の口から亡霊の話を聞いて行った。

　この話がたちまち拡まると、あらゆる国の紳士、学者、分別のある人、無神論者などという人びとが彼女の門前に市（いち）をなすように押しかけて来たので、しまいには邪魔をされないように防禦するのが彼女の仕事になってしまった。というのは、かれらはたいてい幽霊の存在ということに非常な興味を持っていた上に、バーグレーヴ夫人が全然（ぜんぜん）鬱症になど罹（かか）っていないのを目撃し、また彼女がいつも愉快そうな顔をしているので、すべての人たちから好意をむけられ、かつ尊敬されているのを見聞して、大勢の見物人は彼女自身の口からその話を聞くことが出来れば、大いなる記念にもなると思うようになったからであった。

　私は前に、ヴィール夫人がバーグレーヴ夫人にむかって、自分の妹とその夫がロンドンから自分に逢いに来ていると言っていたことを、あなたに話しておかなければならなかった。その時にも、バーグレーヴ夫人が「なぜ今が今、そんなにいろいろのことを整理しなければならないのですか」と訊くと、「でも、そうしなければならないのですもの」と、ヴィール夫人は答えている。

果たして彼女の妹夫婦は彼女に逢いに来て、ちょうど彼女が息を引き取ろうというときに、ドーバーの町へ着いたのであった。

話はまた前に戻るが、バーグレーヴ夫人はヴィール夫人にお茶を飲むかと訊くと、彼女は「飲んでもいいのですが、あの気違い（バーグレーヴ夫人の夫をいう）が、あなたの道具をこわしてしまったでしょうね」と言った。そこで、バーグレーヴ夫人は「私はまだお茶を飲むぐらいの道具はあります」と答えたが、彼女はやはりそれを辞退して、「お茶などはどうでもいいではありませんか。打っちゃっておいてください」と言ったので、そのままになってしまった。

私がバーグレーヴ夫人と数時間むかい合って坐っている間、彼女はヴィール夫人の言ったうちで今までに思い出せなかった言葉はないかと、一生懸命に考えていた結果、ただ一つ重要なことを思い出した。それはブレトン老人がヴィール夫人に毎年十ポンドずつを給与していてくれたという秘密で、彼女自身もヴィール夫人に言われるまでは全然知らなかった。

バーグレーヴ夫人はこの物語に手加減を加えるようなことは絶対にしなかったが、彼女からこの物語を聞くと、亡霊の実在性を疑っている人間や、少なくとも幽霊などと馬鹿にしている連中も迷ってしまった。ヴィール夫人が彼女の家へ訪ねて来たとき、隣りの家の召仕(めしつか)いはバーグレーヴ夫人が誰かと話しているのを庭越しに聞いていた。そうして、彼女はヴィール夫人と別れると、すぐに一軒置いて隣りの家へ行って、昔の友達と夢中になって話していたと言って、その会話の内容までを詳しく語って聞かせた。それから不思議なことには、この事件が起こる前に、バーグレーヴ夫人は死に関するドレリンコートの著書をちょうどに買っておいた。それからまた、こういうことに注目しなければならない。すなわちバーグレーヴ夫人は心身ともに非常に疲れているにもかかわらず、それを我慢してこの亡霊の話をいちいちみんなに語って聴かせても、けっして一銭も受け取ろうとはしないばかりか、彼女の娘にも人から何ひとつ貰わせないようにしていたので、この物語をしたところで彼女には何の利益もあるはずはないのである。

しかも、亡霊の弟のヴィール氏は、極力この事件を隠蔽(いんぺい)しようとした。一度バーグレーヴ夫人に親しく逢ってみたいと言っていたが、彼は姉のヴィール夫人が死んだのち、船長のワトソンの家までは行っていながら、ついにバーグレーヴ夫人をおとずれなかった。彼の友達らはバーグレーヴ夫人のことを嘘つきだと言い、彼女は前からブレトン氏が毎年十ポンドずつ送って来ることを知っていたのだと言っているが、私の知っている名望家の間では、かえってそんなふうに言い触らしているご本尊のほうが大嘘つきだという評判が立っている。ヴィール氏はさすがに紳士であるだけに、彼女は嘘を言っているとは言わないが、バーグレーヴ夫人は悪い夫のために気違いにされたのだと言っている。しかし彼女がただ一度でも彼に逢いさえすれば、彼の口実を何よりも有効に論駁（ろんばく）するであろう。

　ヴィール氏は姉が臨終の間ぎわに何か遺言することはないかと訊（たず）ねると、ヴィール夫人は無いと言ったそうである。なるほど、ヴィール夫人の亡霊の遺言はきわめてつまらないことで、それらを処理するために別に裁判を仰ぐというほどの事件でもなさそうである。それから考えてみると、彼女がそんな遺言めいたことを言ったのは、要するにバーグレーヴ夫人をして自分が亡霊となって現われたという事実を明白に説明させるためと、彼女が見聞した事実談を世間の人たちに疑わせないためと、もう一つには理性の勝（か）った、分別のある人たちの間にバーグレーヴ夫人の評判を悪くさせまいための心遣いであったように思われるのである。

　それからまた、ヴィール氏は金貨の財布もあったことを承認しているが、しかし、それは夫人の私室（キャビネット）ではなくて、櫛箱の中にあったと言っている。それはどうも信じ難い気がする。なぜなれば、ワトソン夫人の説明によると、ヴィール夫人は自分の私室の鍵については非常に用心ぶかい人であったから、おそらくその鍵を誰にも預けはしないであろうというのである。もしそうであるとすれば、彼女は確かに自分の私室から金貨を他へ移すようなことはしなかったであろう。

ヴィール夫人がその手でいくたびか両方の眼をこすったことと、自分の持病の発作が顔容(かたち)を変えはしないかと訊ねたことは、わざとバーグレーヴ夫人に自分の発作のことを思い出させるためと、彼女が弟のところへ指環や金貨の分配方を書いて送るように頼んだことを、臨終の人の要求のように思わせずに、発作の結果だと思わせるためであったように考えられる。それであるから、バーグレーヴ夫人も確かにヴィール夫人の持病が起こって来たものと思い違いをしたのである。同時にバーグレーヴ夫人を驚かせまいとしたことは、いかに彼女を愛し、彼女に対して注意を払っていたかという実例の一つであろう。その心遣いはヴィール夫人の亡霊の態度に始終一貫して現われていて、特に白昼彼女のところに現われたことや、挨拶の接吻を拒んだことや、独(ひと)りになった時や、更にまたその別れる時の態度、すなわち彼女に挨拶の接吻をまた繰り返させまいとしたことなどが皆それであった。

さて、なぜにヴィール氏がこの物語を気違い沙汰であると考えて、極力その事実を隠蔽しようとしているのか、私には想像がつかない。世間ではヴィール夫人を善良の亡霊と認め、彼女の会話は実に神のごときものであったと信じているのではないか。彼女の二つの大いなる使命は、逆境にあるバーグレーヴ夫人を慰藉するとともに、信仰の話で彼女を力づけようとした事と、疎遠になっていた詫びを言いに来た事とであった。また仮りに、何か複雑の事情とか利益問題とかいうことを抜きにして、バーグレーヴ夫人がヴィール夫人の死を早く知って、金曜の昼から土曜の昼までにこんな筋書を作りあげたものと想像してご覧なさい。そんな真似をするような彼女であったらば、もっと機智があって、もっと生活が豊かで、しかも他人が認めているよりも、もっと陰険な女でなければならないはずである。

私はいくたびかバーグレーヴ夫人にむかって、確かに亡霊の上着に触れたかどうかを糺してみたが、いつも彼女は謙遜して、「もしも私の感覚に間違いがないならば、私は確かにその上着に触れたと思います」と答えるのであった。それからまた、亡霊がその手で膝をたたいた時に、確かにその音を聞いたかと訊ねると、彼女は聞いたかどうかはっきりとは記憶していないが、その亡霊の肉体は自分とまったく同じものであったと言った。

「それですから、私の見たのはあの人ではなくて、あの人の亡霊であったと言われれば、いま私と話しているあなたも、私には亡霊かと思われます。あの時の私には、怖ろしいなどという感じはちっともいたしませんで、どこまでもお友達のつもりで家へ入れて、お友達のつもりで別れたのでございます」

また、彼女は「私は別にこの話を他人に信じてもらおうと思って、一銭の金も使った覚えもございませんし、また、この話で自分が利益を得ようとも思っていません。むしろ自分では、長い間よけいな面倒が殖えただけだと思っています。ふとしたことで、この話が世間へ知れるようにならなかったら、こんなに拡まらずに済みましたのに……」と言っていた。

しかし今では、彼女もこの物語を利用して、出来るだけ世の人びとのためになるように尽くそうと、ひそかに考えてきたと言っている。そうして、その以来、彼女はその考えを実行した。彼女の話によると、ある時は三十マイルも離れた所からこの物語を聞きに来た紳士もあり、またある時は一時に部屋いっぱいに集まって来た人びとにむかって、この物語を話して聞かせたこともあったそうである。とにかくに、ある特殊な紳士たちはバーグレーヴ夫人の口からみな直接にこの物語を聞いたのであった。

このことは私を非常に感動させたとともに、私はこの正確なる根底のある事実について大いに満足を感じている。そうして、私たち人間というものは、確実な見解を持つことが出来ないくせに、なぜに事実を論争しあっているのか、私には不思議でならない。ただ、バーグレーヴ夫人の証明と誠実とだけは、いかなる場合にも疑うことの出来ないものであろう。

ラッパチーニの娘

アウペパンの作から

ホーソーン

ホーソーン　Nathaniel Hawthorne

一八〇四年七月四日、米国マサチューセッツ州に生まる。著名の小説家。一八六四年五月十九日逝く。

一

遠い以前のことである。ジョヴァンニ・グァスコンティという一人の青年が、パドゥアの大学で学問の研究をつづけようとして、イタリーのずっと南部の地方から遙ばると出て来た。

財嚢のはなはだ乏しいジョヴァンニは、ある古い屋敷の上の方の陰気な部屋に下宿を取ることにした。これはあるパドゥアの貴族の邸宅ででもあったらしく、その入り口の上には今はすっかり古ぼけてしまったある一家の紋章が表われているのが見られた。自国イタリーの有名な偉大な詩を知っていた旅の青年は、この屋敷の家族の祖先の一人、おそらくその所有者たる人は、ダンテの筆によって、かのインフェルノの煉獄の永劫呵責の相伴者として描き出されたものであることを、想いおこされるのであった。これらの回想や連想が、はじめて故郷を去った若者にはきわめてありがちの断腸の思いと結び付いて、ジョヴァンニは思わず溜め息をついた。そうして、物さびしい粗末な部屋の中をあちらこちらと見まわした。

「おや、あなた」と、リザベッタ老婦人は、この青年の人柄のひどく立派なのに打たれて、この部屋を住み心地のよいように見せようと努めながら声をかけた。

「お若いかたの胸から溜め息などが出るとは、これはどうしたことでございましょう。あなたはこの古い屋敷を陰気だとでも思っていらっしゃるのですか。では、どうぞその窓から首を出してご覧下さい。ナポリと同じようにきらきらした日の光りが拝(おが)まれますよ」

ジョヴァンニは、老婦人の言うがままにただ機械的に窓から首を突き出して見たが、パドゥアの日光が南イタリーの日光のように陽気だとは思われなかった。とはいえ、日光は窓の下の庭を照らして、さまざまの植物に恵みある光りを浴びせていた。その植物はまたひとかたならぬ注意をもって育てられたもののように見えた。

「この庭は、お家(うち)のものですか」と、ジョヴァンニは訊(き)いた。

「ほんとうに、あなた。あんな植物なぞはどうか出来ないで、それよりももっとよい野菜でも出来ましたらば……」と、老いたるリザベッタ婦人は答えた。「いいえ、そうではございません。あの庭はジャコモ・ラッパチーニさまが、ご自身の手で作っておいでになりいます。あの先生は名高いお医者さんで、きっと遠いナポリのほうまでもお名前がひびいていることと思います。先生はあの植物をたいそうつよい魅力を持った薬に蒸溜なさるとかいう噂で、折りおりに先生が働いていらっしゃるのが見えます。またどうかすると、お嬢さままでが庭に生えている珍らしい花を集めているのが見えますよ」

老婦人は、この部屋の様子について、もう何もかも言い尽くしてしまったので、青年の幸福を祈りながら出て行った。

ジョヴァンニはなんの所在もないので、窓の下の庭園をいつまでも見おろしていた。その庭の様子で、このパドゥアの植物園は、イタリーはおろか、世界のいずこよりも早く作られたものの一つであると判断した。もしそうでないとすると、もっとも、これはあまり当てにはならないが、かつて富豪の一族の娯楽場か何かであったかもしれない。

庭園の中央には稀に見るほどの巧みな彫刻を施した大理石の噴水の跡がある。それも今はめちゃくちゃにこわれてしまって、その残骸はほとんど原形をとどめぬほどになっているが、その水だけは今も相変わらず噴き出して、日光にきらきらと輝いていた。その水のさらさらと流れ落ちる小さいひびきは、上にいる青年の部屋の窓までも聞こえてくる。この噴水が永遠不滅の霊魂であって、その周囲の有為転変(ういてんぺん)にはいささかも気をとめずに絶えず歌っているもののように思われるのであった。すなわち、ある時代には大理石をもって泉を造り、またある時はそれを毀って地上に投げ出してしまうような、有為転変の姿も知らぬように——。

水の落ちてゆく池の周囲に、いろいろな植物が生い繁っているのを見ると、大きい木の葉や、美しい花の営養には、十分なる水分の供給が大切であるように思われた。池の中央にある大理石の花瓶のうちに、特にきわだって眼につく一本の灌木があった。その木には無数の紫の花が咲いて、花はみな宝石のような光沢と華麗とをそなえていた。こういう花が一団となって目ざましい壮観を現出し、たとい日光がここに至らずとも、十分に庭を明かるく照らすにたるかのようであった。

土のあるところには、すべて草木が植えられてある。それらはその豊麗なることにおいて、かの灌木にやや劣っているとしても、なおひとかたならざる丹精の跡がありありと見られた。また、それらの草木は皆それぞれに特徴を有していて、それがその培養者たる科学者にはよく知られているらしく、あるものは多くの古風な彫刻を施した壺のうちに置かれ、また、あるものは普通の植木鉢のうちに植えられていた。それらのあるものは蛇のように地上を這いまわり、あるいは心のままに高く這いあがっていた。また、あるものはバータムナスの像のまわりを花環のように取り巻いて、布のように垂れさがった枝はその像をすっかり掩っていた。それらはまこと立派に配列されていて、彫刻家にとってはこの上もないよい研究材料であろうと思われた。

ジョヴァンニが窓の側に立っていると、木の葉の茂みのうしろから物の摺れるような音が聞こえたので、彼は誰か庭のうちで働いているのに気がついた。間もなくその姿が現われたが、それは普通の労働者ではなく、黒の学者服を身にまとった、脊丈の高い、痩せた、土気色をした、弱よわしそうに見える男であった。彼は中年を過ぎていて、髪は半白で、やはり半白の薄い髯を生やしていたが、その顔には知識と教養のあとがいちじるしく目立っていた。但し、その青春時代にも、温かな人情味などはけっして表わさなかったであろうと思われるような人物であった。

なにものも及ばぬほどの熱心をもって、この科学者的の庭造り師は、順じゅんにすべての灌木を試験していった。彼はそれらの植物のうちにひそんでいる性質を検べ、その創造的原素の観察をおこない、何ゆえにこの葉はこういう形をしているか、かの葉はああいう形をしているか、また、そのためにそれらの花がたがいに色彩や香気を異にしているのである、というようなことを発見しようとしているらしい。しかも彼自身は、植物についてこれほどの深い造詣があるにもかかわらず、彼とその植物との間には、少しの親しみもないらしく、むしろ反対に、彼は植物に触れることも、その匂いを吸うことも、まったく避けるように注意を払っていた。それがジョヴァンニに甚だ不快な印象を与えたのであった。

科学者的庭造り師の態度は、たとえば猛獣とか、毒蛇とか、悪魔とかいうもののような、少しでも気を許したらば恐ろしい災害を与えるような、有害な影響を及ぼすもののうちを歩いている人のようであった。庭造りというようなものは、人間の労働のうちでも最も単純な無邪気なものであり、また人類のまだ純潔であった時代の祖先らの労働と喜悦とであったのであるから、今この庭を造る人のいかにも不安らしい様子を見ていると、青年はなんとはなしに一種の怪しい恐怖をおぼえた。それでも、この庭園を現世のエデンの園であるというのであろうか。その害毒を知りながら自ら培養しているこの人は、果たしてアダムであろうか。

この疑うべき庭造り師は灌木の枯葉を除き、生い繁れる葉の手入れをするのに、厚い手袋をはめて両手を保護していた。彼の装身具は、単に手袋ばかりではなかった。庭を歩いて、大理石の噴水のほとりに紫の色を垂れているあの目ざましい灌木のそばに来ると、彼は一種のマスクでその口や鼻を掩った。この木のあらゆる美しさは、ただその恐ろしい害毒を隠しているかのように――。それでもなお危険であるのを知ってか、彼は後ずさりしてマスクをはずし、声をあげて呼んだ。もっとも、その声は弱よわしく、身のうちに何か病気をもっている人のようであった。

「ベアトリーチェ、ベアトリーチェ!」

「はい、お父さん、なにかご用……」と、向うの家の窓から声量のゆたかな若やいだ声がきこえた。

その声は熱帯地方の日没のごとくに豊かで、ジョヴァンニは何とは知らず、紫とか真紅の色とか、または非常に愉快なある香気をも、ふと心に思い浮かべた。

「お父さん、お庭ですか」

「おお、そうだよ、ベアトリーチェ」と、父は答えた。「おまえ、ちょっと手をかしてくれ」

彫刻の模様のついている入り口から、この庭園のうちへ最も美しい花にもけっして劣らない豊かな風趣をそなえた、太陽のように美しい一人の娘の姿があらわれた。その手には眼も醒めるばかりの、もうこれ以上の強い色彩はとても見るにたえないと思われるような、非常に濃厚な色彩の花を持っていた。彼女は生命の力と健康の力と精力とが充満しているように見えた。これらの特質は、その多量を彼女の処女地帯の内に制限せられ、圧縮せられ、なおかつ強く引きしめられているのである。

しかし庭を見おろしているうちに、ジョヴァンニの考えは確かに一種の病的になったであろう。この美しい未知の人が彼にあたえた印象は、さらに一つの花が咲き出したかのようであった。そうして、この人間の花はそれらの植物の花と姉妹(きょうだい)で、同じように美しく、さらにそれよりも遙かに美しく、しかもなお手袋をはめてのみ触れ得べく、またマスクなしには近づくべからざる花のようであった。ベアトリーチェが庭の小径に降りて来た時、彼女はその父がきわめて用意周到に避けてきたいくつかの植物の匂いを平気で吸い、また平気でそれに手も触れているのが見えた。

「さあ、ベアトリーチェ」と、父は言った。「ご覧、私たちのいちばん大切な宝のために、しなければならない仕事がたくさんある。私は弱っているから、あまりむやみにそれに近づくと、命を失うおそれがある。それで、この木はおまえひとりに任せなければならないと思うが……」

「そんなら、わたしは喜んで引き受けます」と、再び美しい声で叫びながら、彼女はかの目ざましい灌木にむかって腰をかがめ、それを抱くように両腕をひろげた。

「ええ、そうですよ。ねえ、わたしの立派な妹さん、あなたを育ててゆくのは、このベアトリーチェの役目なのです。それですから、あなたの接吻(キッス)と……それから私の命のその芳(かん)ばしい呼吸(いき)とを、わたしに下さらなければならないのですよ」

その言葉にあらわれたような優しさを、その態度の上にもあらわして、彼女はその植物に必要と思われるだけの十分の注意をもって忙しく働きはじめた。

ジョヴァンニは高い窓にもたれかかりながら、自分の眼をこすった。娘がその愛する花の世話をしているのか、または花の姉妹がたがいに愛情を示しあっているのか、まったくわからなかった。しかも、この光景はすぐに終わった。ドクトル・ラッパチーニがその庭造りの仕事を終わったのか、あるいはその慧眼がジョヴァンニのあることを見てとったのか。そのいずれかは知れないが、父は娘の手をとって庭を立ち去ってしまった。

夜はすでに近づいていた。息づまるような臭気が庭の植物から発散して、あけてある窓から忍び込むようであった。ジョヴァンニは窓をしめて寝床にはいって、美しい花と娘のことを夢想した。花と娘とは別べつのものであって、しかも同じものである。そうして、その両者には何か不思議な危険が含まれていた。

しかし朝の光りは、太陽が没している間に、または夜の影のあいだに、あるいは曇りがちな月光のうちに生じたところの、どんな間違った想像をも、あるいは判断さえも、まったく改めるものである。眠りから醒めて、ジョヴァンニがまっさきの仕事は、窓をあけてかの庭園をよく見ることであった。それは昨夜の夢によって、大いに神秘的に感じられてきたのであった。早い朝日の光りは花や葉に置く露をきらめかし、それらの稀に見る花にも皆それぞれに輝かしい美しさをあたえながら、あらゆるものをなんの不思議もない普通日常の事として見せている。その光りのうちにあって、この庭も現実の明らかな事実としてあらわれたとき、ジョヴァンニは驚いて、またいささか恥じた。この殺風景な都会のまんなかで、こんな美しい贅沢な植物を自由に見おろすことの出来る特権を得たのを、青年は喜んだのである。彼はこの花を通じて自然に接することが出来ると、心ひそかに思った。見るからに病弱の、考え疲れたような、ドクトル・ジャコモ・ラッパチーニも、またその美しい娘も、今はそこには見えなかったので、ジョヴァンニは自分がこの二人に対して感じた不思議を、どの程度までかれらの人格に負わすべきものか、また、どの程度までを自分自身の奇蹟的想像に負わすべきものかを、容易に決定することが出来なかった。しかし彼はこの事件全体について、最も合理的の見解をくだそうと考えた。

その日、彼はピエトロ・バグリオーニ氏を訪問した。氏は大学の医科教授で、有名な医者であった。ジョヴァンニはこの教授に宛てた紹介状を貰っていたのである。教授は相当の年配で、ほとんど陽気といってもいいような、一見快活の性行を有していた。彼はジョヴァンニに食事を馳走し、殊にタスカン酒の一、二罎をかたむけて、少しく酔いがまわってくると、彼は自由な楽しい会話でジョヴァンニを愉快にさせた。ジョヴァンニは双方が同じ科学者であり、同じ都市の住民である以上、かならず互いに親交があるはずだと思って、よい機を見てドクトル・ラッパチーニの名を言い出すと、教授は彼が想像していたほどには、こころよく答えなかった。

「神聖なるべき仁術の教授が……」と、ピエトロ・バグリオーニ教授は、ジョヴァンニの問いに答えた。「ラッパチーニのごとき非常に優れた医者の、適当と思われる賞讃に対して、それを貶すようなことを言うのは悪いことであろう。しかし一方において、ジョヴァンニ君。君は旧友の子息である。君のような有望の青年が、この後あるいは君の生死を掌握するかもしれないような人間を尊敬するような、誤まった考えをいだくのを黙許してもいいかわるいかという僕は自己の良心に対して、少しばかりそれに答えなければならない。実際わが尊敬すべきドクトル・ラッパチーニは、ただ一つの例外はあるが、おそらくこのパドゥアばかりでなく、イタリー全国におけるいかなる有能の士にも劣らぬ立派な学者であろう。しかし、医者としてのその人格には、大いなる故障があるのだ」

「どんな故障ですか」と、青年は訊いた。

「医者のことをそんなに詮索するのは、君は心身いずれかに病気があるのではないかな」と、教授は笑いながら言った。「だが、ラッパチーニに関しては――僕は、彼をよく知っているので、実際だと言い得るが――彼は人類などということよりも全然、科学の事ばかりを心にかけているといわれている。彼におもむく患者は、彼には新しい実験の材料として興味があるのみだ。彼の偉大な蘊蓄に、けしつぶぐらいの知識を加えるためにも、彼は人間の生命――なかんずく、彼自身の生命、あるいはそのほか彼にとって最も親しい者の生命でも、犠牲に供するのを常としているのだ」

「わたしの考えでは、彼は実際畏るべき人だと思います」と、心のうちにラッパチーニの冷静なひたむきな智的態度を思い出しながら、ジョヴァンニは言った。「しかし、崇拝すべき教授であり、また、まことに崇高な精神ではありませんか。それほどに科学に対して、精神的な愛好をかたむけ得る人が他にどれほどあるでしょうか」

「少なくとも、ラッパチーニの執った見解よりは、治療術というもっと健全な見解を執るのでなかったら……。ああ、神よ禁じたまえ」と、教授はやや急き立って答えた。「あらゆる医学的効力は、われわれが植物毒剤と呼ぶものの内に含蓄されているというのが、彼の理論である。彼は自分の手ずから植物を培養して、自然に生ずるよりは遙かに有害な種じゅの恐ろしい新毒薬を作ったとさえいわれている。それらのものは彼が直接に手をくださずとも、永遠にこの世に禍いするものである。医者たる者がかくのごとき危険物を用いて、予想よりも害毒の少ないことのあるのは、否定し得ないことである。時どきに彼の治療が驚くべき偉効を奏し、あるいは奏したように見えたのは、われわれも認めてやらなければなるまい。しかしジョヴァンニ君。打ち明けて言えば、もし彼が……まさに自分が行なったと思われる失敗に対して、厳格に責任を負うならば、彼はわずかの成功の例に対しても、ほとんど信用を受けるにたらないのである。まして、その成功とてもおそらく偶然の結果に過ぎなかったのであろう」

もしこの青年が、バグリオーニとラッパチーニの間に専門的の争いが長くつづいていて、その争いは一般にラッパチーニのほうが有利と考えられていたことを知っていたならば、バグリオーニの意見を大いに斟酌（しんしゃく）したであろう。もしまた、読者諸君がみずから判断をくだしてみたいならば、パドゥア大学の医科に蔵されている両科学者の論文を見るがよい。ラッパチーニの極端な科学研究熱に関して語られたところを、よく考えてみた後に、ジョヴァンニは答えた。

「よく分かりませんが、先生。あの人はどれほど医術を愛しているか、私には分かりませんが、確かにあの人にとって、もっと愛するものがあるはずです。あの人には、ひとりの娘があります」

「ははあ」と、教授は笑いながら叫んだ。「それで初めて君の秘密がわかった。君はその娘のことを聞いたのだね。あの娘についてはパドゥアの若い者はみな大騒ぎをしているのだが、運よくその顔を見たという者は、まだほんの幾人（いくにん）もない。ベアトリーチェ嬢については、わたしはあまりよく知らない。ラッパチーニが自分の学問を彼女に十分に教え込んだということと、彼女は若くて美しいという噂だが、すでに教授の椅子に着くべき資格があるということと、ただそれだけを聞いている。おそらく彼女の父は、将来わたしの椅子を彼女のものにしようと決めているのだろう。ほかにまだつまらない噂は二、三あるが、言う価値もなく、聞く価値もないことだ。では、ジョヴァンニ君。赤葡萄酒の盃をほしたまえ」

二

ジョヴァンニは飲んだ酒（ワイン）にやや熱くなって、自分の下宿へもどった。酒のために、彼の頭はラッパチーニと美しいベアトリーチェについて、いろいろの空想をたくましゅうした。帰る途中で偶然に花屋のまえを通ったので、彼は新しい花束を一つ買って来た。

彼は自分の部屋にのぼって、窓のそばに腰をおろしたが、自分の影が窓の壁の高さを超えないようにした。それで、彼はほとんど発見される危険もなしに庭を見おろすことができた。眼の下に人の影はなかったが、かの不思議な植物は日光にぬくまりながら、時どきにあたかも同情と親しみとを表わすかのように、静かにうなずき合っていた。庭園の中央のこわれた噴水のほとりには、それを覆（おお）うように群がる紫色の花をつけて、めざましい灌木が生えていた。花は空中に輝き、それが池水（プール）の底に映じて再びきらきらと照り返すと、池の水はその強い反射で、色のついた光りを帯びて溢れ出るようにも見えた。

初めは前に言ったように、庭には人影がなかった。しかし間もなく――この場合、ジョヴァンニが半ば望み、半ば恐れたごとく――人の姿が古風の模様のある入り口の下にあらわれた。そうして、植物の列をなしている間を歩み来ながら、甘い香りを食べて生きていたという古い物語のなかの人物のように、植物のいろいろの香気を彼女は吸っていた。ふたたびベアトリーチェをみるに及んで、青年がいっそうおどろいたのは、彼女がその記憶よりも遙かに美しいことであった。彼女は太陽の光りのうちに輝き、また、ジョヴァンニがひそかに思っていた通り、庭の小径の影の多いところを明かるく照らすほどに、その人は光り輝いているのであった。

彼女の顔は前のときよりも、いっそうはっきりと現われた。そうして、彼は天真爛漫な柔和な娘の表情に、いたく心を打たれた。こんな性質を彼女が持っていようとは、彼の考えおよばないところであったので、彼女がいったいどんな質の人であろうかと、彼は新たに想像してみるようになった。彼は忘れもせずに、この美しい娘と、噴水の下に宝石のような綺麗な花を咲かせている灌木と、この両者の類似点を再び観察し、想像するのであった。――この類似は、彼女の衣服の飾りつけと、その色合いの選択とによって、ベアトリーチェが弥が上にも空想的気分を高めたからであった。

灌木に近づくと、彼女はあたかも熱烈な愛情を有しているかのように、その両腕を大きくひらいて、その枝をひき寄せて、いかにも親しそうに抱えた。その親しさは、彼女の顔をその葉のうちに隠し、きらめく縮れ毛は皆その花にまじって埋められてしまうほどであった。

「私の姉妹（マイ・シスター）！　あなたの息をわたしに下さい」と、ベアトリーチェは叫んだ。「わたしはもう、普通の空気がいやになったのですから。――そうして、あなたのこのお花を下さいな。わたしはきっと大事に枝を折って、わたしの胸（ハート）の側にちゃんとつけて置きます」

こう言って、ラッパチーニの美しい娘は灌木の最も美しい花の一輪をとって、自分の胸につけようとした。しかしこの時、あるいは酒のためにジョヴァンニの意識が混乱していたのかもしれないが、もしそうでないとすれば、実に不思議なことが起こった。小さいオレンジ色の蜥蜴（とかげ）かカメレオンのような動物が小径を這って、偶然にベアトリーチェの足もとへ近寄って来たのである。

ジョヴァンニが見ている所は遠く離れていて、そんなに小さなものは到底（とうてい）見えなかったであろうと思われるが、しかし彼の眼には、花の切り口から、一、二滴の液体が蜥蜴の頭に落ちたと見えたのである。すると、その動物はたちまち荒あらしく体をゆがめて、日光のもとに動かなくなってしまった。ベアトリーチェはこの驚くべき現象をみて、悲しそうであったが格別におどろきもせず、しずかに十字を切った。それから彼女はためらいもせずに、その恐ろしい花を取って自分の胸につけると、花はまたたちまちに紅（くれない）となって、ほとんど宝石も同様にきらきらと輝いて、この世の何物もあたえられないような独特の魅力を、その衣服や容貌にあたえるのであった。ジョヴァンニはびっくりして、窓のかげから差し出していた首を急に引っ込めて、慄（ふる）えながら独りごとを言った。

「おれは眼が覚めているのだろうか。意識を持っているのだろうか。いったい、あれはなんだろう。美しいと言っていいのか、それとも大変に怖ろしいというのか」

ベアトリーチェはなんの気もつかないように、庭をさまよい歩きながらジョヴァンニの窓の下へ近づいて来たので、彼女に刺戟された痛烈の好奇心を満足させるためには、彼はそこから首を突き出さなければならなかった。あたかもそのときに庭の垣根を越えて、一匹の美しい虫が飛んで来た。おそらく市中を迷い暮らして、ラッパチーニの庭の灌木の強い香気に遠くから誘惑されるまでは、どこにも新鮮な花を見いだすことが出来なかったのであろう。

この輝く虫は花には降りずに、ベアトリーチェに心を惹（ひ）かれてか、やはり空中をさまよって彼女の頭のまわりを飛びまわった。これはどうしてもジョヴァンニの見あやまりに相違なかったのであるが、ともかくも彼はこう想像したのである。ベアトリーチェが子供らしい楽しみをもって虫をながめていると、その昆虫はだんだんに弱って来て、その足もとに落ちた。そうして、その光っている羽（はね）をふるわしているかと見るうちに、とうとう死んでしまった。それがどういうわけであるのか、彼には分からなかったが、おそらく彼女の息に触れたがためであろう。ベアトリーチェはふたたび十字を切って、虫の死骸の上にかがんで深い溜め息をついた。

ジョヴァンニはいよいよ驚いて、思わず身動きをすると、それに気がついて彼女は窓を見あげた。彼女は青年の美しい頭——イタリー式よりはむしろギリシャ型で、美しく整った容貌と、かがやく金髪の捲毛(まきげ)とを持っていた——その頭が中空にさまよっていた、かの虫のように彼女を一心に見詰めているのを知った。ジョヴァンニは今まで手に持っていた花束をほとんど無意識に投げおろした。

「お嬢さん」と、彼は言った。「ここに清い健全な花があります。どうぞジョヴァンニ・グァスコンティのために、その花をおつけ下さい」

「ありがとうございます」と、あたかも一種の音楽のあふれ出るような豊かな声をして、半分は子供らしく、半分は女らしい、嬉しそうな表情でベアトリーチェは答えた。「あなたの贈り物を頂戴(ちょうだい)いたします。そのお礼に、この美しい紫の花を差し上げたいのですが、わたしが投げてもあなたのところまでは届きません。グァスコンティさま、お礼を申し上げるだけで、どうぞおゆるし下さい」

彼女は地上から花束を取り上げた。未知の人の挨拶にこたえるなど、娘らしい慎しみを忘れたのを内心恥ずるかのように、彼女は庭を過ぎて足早に家の中へはいってしまった。

それはわずかに数秒間のことであったが、彼女の姿が入り口の下に見えなくなろうとしている時、かの美しい花束がすでに彼女の手のうちで凋れかかっているように見えた。しかし、それは愚かな想像で、それほど離れたところにあって、新鮮な花の凋んでゆくことなどがどうして認められるであろう。

　このことがあってのち、しばらくの間、青年はラッパチーニの庭園に面している窓口に行くことを避けた。もしその庭を見たらば、何かいやな醜怪な事件が、かさねて彼の眼に映るであろうと思ったようであった。彼はベアトリーチェと知り合いになったがために、何か解し難いようなある力の影響をうけていることを、自分ながら幾分か気がついた。もし彼の心に本当の危険を感じているならば、最も賢明なる策はこのパドゥアを一度離れることであろう。第二の良策は、日中に見たところのベアトリーチェの親しげな様子に出来るだけ慣れてしまって、彼女をきわめて普通の女性と思うようになることであろう。殊に彼女を避けているあいだ、ジョヴァンニはこの異常なる女性に断然接近してはならない。彼女と親しい交際が出来そうにでもなったらば、絶えず想像をたくましゅうしている彼の気まぐれが、いつか真実性を帯びて来る虞れがあるからである。

　ジョヴァンニは、深い心を持たずして——今それを測ってみたのではないが——敏速な想像力と、南部地方の熱烈な気性とを持っていた。この性質はいつでも熱病のごとくに昂まるのである。ベアトリーチェが恐るべき特質——彼が目撃したところによれば、その恐ろしい呼吸とか、美しい有毒の花に似ているとかいうこと——それらの特質を持っていると否とにかかわらず、彼女はすくなくとも、非常に猛烈な不可解の毒薬をそのからだのうちに沁み込ませてしまったのである。彼女の濃艶は彼の心を狂わせるが、それは愛ではない。彼はまた、彼女の肉体にみなぎるように見えるごとく、彼女の精神にも同じ有毒の原素が沁み込んでいると想像しているが、それは恐怖でもない。それは愛と恐怖との二つが生んだもので、しかもその二つの性質をそなえているものである。すなわち愛のごとくに燃え、恐怖のごとくに顫えるところのものである。

ジョヴァンニは何を恐るべきかを知らず、また、それにも増して何を望むべきかをも知らなかった。しかも希望と恐怖とは絶えずその胸のうちで争っていた。交るがわるに、他の感情を征服するかと思えば、また起って戦いを新たにするのである。暗いと明かるいとを問わず、いずれにしても単純なる感情は幸福である。赫かくたる地獄の火焔をふくものは、二つの感情の物凄いもつれである。

時どきに彼はパドゥアの街や郊外をむやみに歩き廻って、熱病のような精神を鎮めようと努めた。その歩みは頭の動悸と歩調を合わせたので、さながら競走でもしているように、だんだんに速くなっていくのであった。ある日、彼は途中である人にさえぎられた。ひとりの人品卑しからぬ男が彼を認めて引き返し、息を切りながら彼に追いついて、その腕を取ったのである。

「ジョヴァンニ君。おい、君。ちょっと待ちたまえ。君は、僕を忘れたのか。僕が君のように若返ったとでもいうのなら、忘れられても仕方がないが……」と、その人は呼びかけた。

それはバグリオーニ教授であった。この教授は悧口(りこう)な人物で、あまりに深く他人の秘密を見透し過ぎるように思われたので、彼は初対面以来、この人をそれとなく避けていたのである。彼は自己の内心の世界から外部の世界をじっと眺めて、自己の妄想から眼覚めようと努めながら、夢みる人のように言った。

「はい、私はジョヴァンニ・グァスコンティです。そうしてあなたは、ピエトロ・バグリオーニ教授。では、さようなら」

「いや、まだ、まだ、ジョヴァンニ・グァスコンティ君」と、教授は微笑とともに青年の様子を熱心に見つめながら言った。「どうしたことだ。僕は君のお父さんとは仲よく育ったのに、その息子はこのパドゥアの街で僕に逢っても、知らぬ振りをして行き過ぎてもいいのかね。ジョヴァンニ君。別れる前にひとこと話したいから、まあ、待ちたまえ」

「では、早く……。先生、どうぞお早く……」と、ジョヴァンニは、非常にもどかしそうに言った。「先生、私が急いでいるのがお見えになりませんか」

彼がこう言っているところへ、黒い着物をきた男が、健康のすぐれぬ人のように前かがみになって弱よわしい形でたどって来た。その顔は全体に、はなはだ病的で土色を帯びていたが、鋭い積極的な理智のひらめきがみなぎっていて、見る者はその単なる肉体的の虚労を忘れて、ただ驚くべき精力を認めたであろう。彼は通りがかりに、バグリオーニと遠くの方から冷やかな挨拶を取り交したが、彼はこの青年の内面に何か注意に値いすべきものあらば、何物でも見透さずにはおかぬといったような鋭い眼をもって、ジョヴァンニの上にきっとそそがれた。それにもかかわらず、その容貌には独特の落ち着きがあって、この青年に対しても人間的ではなく、単に思索的興味を感じているように見られた。

「あれが、ドクトル・ラッパチーニだ」と、彼が行ってしまった時に教授はささやいた。

「彼は君の顔を知っているのかね」

「私は知っているというわけではありません」と、ジョヴァンニはその名を聞いて驚きながら答えた。

「彼のほうでは確かに君を知っているよ。彼は君を見たことがあるに違いない」と、バグリオーニは急き込んで言った。「何かの目的で、あの男は君を研究している。僕はあの様子で分かったのだ。彼がある実験のために、ある花の匂いで殺した鳥や鼠や蝶などに臨むとき、彼の顔に冷たくあらわれるものとまったく同じ感じだ。その容貌は自然そのもののごとくに深味をもっているが、自然の持つ愛の暖か味はない。ジョヴァンニ君。君はきっとラッパチーニの実験の一材料であるのだ」

「先生。あなたは僕を馬鹿になさるのですか。そんな不運な実験だなどと……」と、ジョヴァンニは怒気を含んで叫んだ。

「まあ、君、待ちたまえ」と、執拗な教授は繰りかえして言った。「それはね、ジョヴァンニ君。ラッパチーニが君に学術的興味を感じたのだよ。君は恐ろしい魔手に捉われているのだ。そうして、ベアトリーチェは……彼女はこの秘密についてどういう役割を勤めるのかな」

しかしジョヴァンニはバグリオーニ教授の執拗にたえきれないで、逃げ出して、教授がその腕を再び捉えようとしたときには、もうそこにはいなかった。教授は青年のうしろ姿をまばたきもせずに見つめて、頭を振りながらひとりごとを言った。

「こんなはずではないが……。あの青年は、おれの旧友の息子だから、おれは医術によって保護し得る限りは、いかなる危害をも彼に加えさせないつもりだ。それにまた、おれに言わせると、ラッパチーニがあの青年をおれの手から奪って、かの憎むべき実験の材料にするなどとは、あまりにひどい仕方だ。彼の娘も監視すべきだ。最も博学なるラッパチーニよ。おれはたぶんおまえを夢にも思わないようなところへ追いやってしまうであろう」

ジョヴァンニは廻り道をして、ついにいつの間にか自分の宿の入り口に来ていた。彼が入り口の閾(しきい)をまたいだときに、老婦人のリザベッタに出逢った。

彼女はわざと作り笑いをして、彼の注意をひこうと思ったが、彼の沸き立った感情はすぐに冷静になって、やがて茫然(ぼうぜん)と消えてしまったので、その目的は達せられなかった。彼は、微笑をたたえた皺だらけの顔の方へ真正面に眼を向けてはいたが、その顔を見ているようには思われなかった。そこで、老婦人は彼の外套(がいとう)をつかんだ。

「もし、あなた、あなた」と、彼女はささやいた。その顔にはまだ一面に微笑をたたえていたので、彼女の顔は幾世紀を経て薄ぎたなくなった怪異な木彫りのように見えた。

「まあお聴きなさい。庭へはいるのには、秘密の入り口があるのでございますよ」

「なんだって……」と、ジョヴァンニは無生物が生命を吹き込まれて飛び上がるように、急に振り返って叫んだ。「ラッパチーニの庭へはいる秘密の入り口……」

「しっ、しっ。そんなに大きな声をお出しになってはいけません」と、リザベッタはその手で、彼の口を蔽(おお)いながら言った。「さようでございます。あの偉い博士さまのお庭にはいる秘密の入り口でございます。そのお庭では、立派な灌木の林がすっかり見られます。パドゥアの若いかたたちは、みんなその花の中に入れてもらおうと思って、お金を下さるのでございます」

ジョヴァンニは金貨一個を彼女の手に握らせた。

「その道を教えてくれたまえ」と、彼は言った。

たぶんバグリオーニとの会話の結果であろうが、このリザベッタ婦人の橋渡しは、ラッパチーニが彼をまき込もうとしていると教授が想像しているらしい陰謀――それがいかなる性質のものであっても――と、何か関連しているのではないかという疑いが、彼の心をかすめた。しかし、こうした疑いは、ジョヴァンニの心を一旦かきみだしたものの、彼を抑制するには不十分であった。ベアトリーチェに接近することが出来るということを知った刹那、そうすることが彼の生活には絶対に必要なことのように思われた。

彼女が天使であろうと、悪魔であろうと、そんなことはもう問題ではなかった。彼は絶対に彼女の掌中にあった。そうして、彼は永久に小さくなりゆく圏内に追い込まれて、ついには、彼が予想さえもしなかった結果を招くような法則に、従わなければならなかった。

しかも不思議なことには、彼はにわかにある疑いを起こした。自分のこの強い興味は、幻想ではあるまいか。こういう不安定の位置にまで突進しても差し支えないと思われるほどに、それが深い確実な性質のものであろうか。それは単なる青年の頭脳の妄想で、彼の心とはほんのわずかな関係があるに過ぎないか、またはまるで無関係なのではあるまいか。彼は疑って、躊躇してあと戻りをしかけたが、ふたたび思い切って進んで行った。

皺だらけの案内人は幾多のわかりにくい小径を通らせて、ついにあるドアをひらくと、木の葉がちらちらと風にゆらいで、日光が葉がくれにちらちらと輝いているのが見えた。ジョヴァンニは更に進んで、隠れた入り口の上を蔽っている灌木の蔓がからみつくのを押しのけて、ラッパチーニ博士の庭の広場にある自分の窓の下に立った。

われわれはしばしば経験することであるが、不可能と思うようなことが起こったり、今まで夢のように思っていたことが実際にあらわれたりすると、歓楽または苦痛を予想してほとんど夢中になるような場合でも、かえって落ち着きが出て、冷やかなるまでに大胆になり得るものである。運命はかくのごとくわれわれにさからうことを喜ぶ。こういう場合には、情熱が時を得顔にのさばり出て、それがちょうどいい工合に事件と調和するときには、いつまでもその事件の蔭にとどこおっているものである。

今のジョヴァンニは、あたかもそういう状態に置かれてあった。彼の脈搏は毎日熱い血潮で波打っていた。彼はベアトリーチェに逢って、彼女を美しく照らす東洋的な日光を浴びながら、この庭で彼女と向かい合って立ち、彼女の顔をあくまでも眺めることによって、彼女の生活の謎になっている秘密をつかもうと、出来そうもないことを考えていた。

しかも今や彼の胸には、不思議な、時ならぬ平静が湧いていた。彼はベアトリーチェか、またはその父がそこらにいるかと思って、庭のあたりを見まわしたが、まったく自分ひとりであるのを知ると、さらに植物の批評的観察をはじめた。

ある植物――否、すべての植物の姿態が彼には不満であった。その絢爛なることもあまりに強烈で、情熱的で、ほとんど不自然と思われるほどであった。たとえば、ひとりで森の中をさまよっている人が、あたかもその茂みの中からこの世のものとも思われぬ顔が現われて、じろりと睨まれた時のように、その不気味な姿に驚かされない灌木はほとんどなかった。また、あるものはいろいろの科に属する植物を混合して作り出したかと思われるような、人工的の形状で、感じやすい本能を刺戟した。それはもはや神の創造したものではなく、単に人間がその美を下手に模倣して、堕落した考えによって作りあげたものに過ぎなかった。これらはおそらく一、二の実験の結果、個個の植物を混合して、この庭の全植物と異った、不思議な性質をそなえたものに作り上げることにおいて成功したのであろう。ジョヴァンニはただ二、三の植物を集めてみたが、それは彼が有毒植物ということを、かねて熟知している種類のものであった。

こんな考察にふけっているとき、彼はふと衣ずれの音を聞いた。ふりかえって見ると、それはベアトリーチェが、彫刻した入り口の下から現われ出たのであった。

三

ジョヴァンニはこの際いかなる態度をとるべきものか。庭園に闖入（ちんにゅう）した申しわけをすべきものかどうか。また、みずから望んだことではなくても、少なくともラッパチーニとその娘には無断でここへ立ち入ったことを自認すべきものかどうか。そんなことは別に考えていなかったので、その瞬間すこしくあわてたが、ベアトリーチェの態度を見るにつけて、彼の心はやや落ち着いた。もっとも、誰の案内でここにはいることを許されたかということになれば、なおそこに一種の不安がないでもなかった。彼女は小径（こみち）を軽く歩んで来て、こわれた噴水のほとりで彼に出逢って、さすがに驚いたような顔をしていたが、また、その顔は親切な愉快な表情に輝いていた。

「あなたは花の鑑識家でございますね」と、ベアトリーチェは彼が窓から投げてやった花束を指して微笑（ほほえ）みながら言った。「それですから、父の集めた珍しい花に誘惑されて、もっと近寄って見たいとお思いになるのも不思議はありません。もし父がここにおりましたら、自然こういう灌木の性質や習慣などについて、いろいろな不思議なおもしろいことをお話し申し上げることが出来ましょうに……。父はそういう研究に一生涯をついやしました。そうして、この庭が父の世界なのでございます」

「あなたもそうでしょう」と、ジョヴァンニは言った。「世間の評判によると、あなたもたくさんの花やいい匂いについて、ずいぶんご造詣が深いそうではありませんか。いかがです、わたしの先生になって下さいませんか。そうすると、わたしはラッパチーニ先生の教えを受けるよりも、もっと熱心な学生になるのですが……」

「そんないい加減な噂があるのでしょうか」と、ベアトリーチェは音楽的な愉快な笑い方をして訊いた。「わたくしが父に似て植物学に通じているなどと、世間では言っておりますか。まあ、冗談でしょう。わたくしはこの花のなかに育ちましたけれど、色と匂いのほかには、なんにも存じませんのです。その貧弱な知識さえも時どきに失くなってしまうように思うことがあります。ここにはたくさんの花があって、あまりにけばけばしいので、それを見るとわたくしはなんだか忌いましくなって来ます。しかしあなた、こうした学術に関するわたくしの話は、どうぞ信用して下さらないように……。あなたのご自分の眼でご覧になることのほかは、わたくしの言うことなどはなんにもご信用なさらないで下さい」

「わたしは自分の眼で見たものをすべて信じなければならないのですか」と、ジョヴァンニは以前の光景を思い出して逡巡しながら、声をとがらして訊いた。「いいえ、あなたはわたくしに求めなさ過ぎます。どうぞ、あなたの口唇からもれること以外は信じるなと言って下さい」

ベアトリーチェは彼の言うことを理解したように見えた。彼女の頬は真紅（まっか）になった。しかも彼女はジョヴァンニの顔をじっと眺めて、彼が不安らしい疑惑の眼をもって見ているのに対して、さながら女王のような傲慢（ごうまん）をもって見返した。

「では、そう申しましょう。あなたがわたくしのことをどうお考えになっていたとしても、それは忘れて下さい。たとい外部の感覚は本当であっても、その本質において相違しているところがあるかもしれません。けれども、ベアトリーチェ・ラッパチーニのくちびるから出る言葉は、心の奥底から出る真実の言葉ですから、あなたはそれを信じて下すってもよろしいのです」

彼女の容貌には熱誠が輝いていた。その熱誠は真実そのものの光りのようにジョヴァンニの意識の上にも輝いた。しかし、彼女がそれを語っている間、その周囲の空気のうちには、消えやすくはあるが豊かないい匂いがただよっていたので、この青年はなんとも知れぬ反感から、努めてその空気を吸わないようにしていた。

その匂いは花の香りであろう。しかも、彼女の言葉をさながら胸の奥にたくわえてあったかのように、かくも不思議の豊富にしたのは、ベアトリーチェの呼吸であろうか。一種の臆病心は影のようにジョヴァンニの胸から飛び去ってしまった。彼は美しい娘の眼を通して、水晶のように透きとおったその魂を見たように思って、もはやなんの疑惑も恐怖も感じなかった。

ベアトリーチェの態度にあらわれていた情熱の色は消えて、彼女は快活になった。そうして、孤島の少女が文明国から来た航海者と談話をまじえて感ずるような純な歓びが、この青年との会合によって彼女に新しく湧き出したように思われた。

明らかに彼女の生涯の経験は、その庭園内に限られていた。彼女は日光や夏の雲のような、単純な事物について話した。また、都会のことや、ジョヴァンニの遠い家や、その友人、母親、姉妹（きょうだい）などについてたずねた。その質問はまったく浮世離れのした、流行などということとはまったく掛け離れたものであったので、ジョヴァンニは赤ん坊に話して聞かせるような調子で答えた。

彼女は今や初めて日光を仰いだ新しい小川が、その胸にうつる天地の反映に驚異を感じているような態度で、彼の前にその心を打ち明けた。また、深い水源（みなもと）からはいろいろの考えが湧き出して、あたかもダイヤモンドやルビーがその泉の泡の中からでも光り輝くように、宝石のひかりを持った空想が湧き出した。

青年の心には折りおりに懐疑の念がひらめいた。彼は兄妹（きょうだい）のように話をまじえて、彼女を人間らしく、乙女（おとめ）らしく思わせようとするようなある者と、相並んで歩いているのではないかと思った。その人間には怖ろしい性質のあらわれるのを彼は実際に目撃しているのであって、その恐怖の色を理想化しているのではないかと思った。しかもこうした考えはほんの一時的のもので、彼女の非常に真実なる性格のほうは、容易に彼を親しませるようになったのである。

こういう自由な交際をして、かれらは庭じゅうをさまよい歩いた。並木のあいだをいくたびも廻り歩いたのちに、こわれた噴水のほとりに来ると、そのそばにはめざましい灌木があって、美しい花が今を盛りと咲き誇っていた。その灌木からは、ベアトリーチェの呼(い)吸(き)から出るのと同じような一種の匂いが散っていたが、それは比較にならないほどにいっそう強烈なものであった。彼女の眼がこの灌木に落ちたとき、ジョヴァンニは彼女の心臓が急に激しい鼓動を始めたらしく、苦しそうにその胸を片手でおさえるのを見た。

「わたしは今までに初めておまえのことを忘れていたわ」と、彼女は灌木に囁(ささや)きかけた。

「わたしが大胆にあなたの足もとへ投げた花束の代りに、あなたはこの生きた宝の一つをやろうと約束なすったのを覚えています。今日お目にかかった記念に、今それを取らせて下さい」と、ジョヴァンニは言った。

彼は灌木の方へ一歩進んで手をのばすと、ベアトリーチェは彼の心臓を刃(やいば)でつらぬくような鋭い叫び声をあげて駈け寄って来た。彼女は男の手をつかんで、かよわいからだに全力をこめて引き戻したのである。ジョヴァンニは彼女にさわられると、全身の繊維が突き刺されるように感じた。

「それにふれてはいけません。あなたの命がありません。それは恐ろしいものです」と、彼女は苦悩の声を張りあげて叫んだ。

そう言ったかと思うと、彼女は顔をおおいながら男のそばを離れて、彫刻のある入り口の下に逃げ込んでしまった。ジョヴァンニはそのうしろ姿を見送ると、そこには、ラッパチーニ博士の痩せ衰えた姿と蒼ざめた魂とがあった。どのくらいの時間かはわからないが、彼は入り口の蔭にあってこの光景を眺めていたのであった。


ジョヴァンニは自分の部屋にただひとりとなるやいなや、初めて彼女を見たとき以来、ついに消え失せないありたけの魅力と、それに今ではまた、女性らしい優しい温情に包まれたベアトリーチェの姿が、彼の情熱的な瞑想のうちによみがえってきた。彼女は人間的であった。彼女はすべての優しさと、女らしい性質とを賦与されていた。彼女は最も崇拝にあたいする女性であった。彼女は確かに高尚な勇壮な愛を持つことができた。彼がこれまで彼女の身体および人格のいちじるしい特徴と考えていたいろいろの特性は、今や忘れられてしまったのか。あるいは巧妙なる情熱的詭弁によって魔術の金冠のうちに移されてしまったのか。彼はベアトリーチェをますます賞讃すべきものとし、ますます比類なきものとした。これまで醜く見えていたすべてのものが、今はことごとく美しく見えた。もしまた、かかる変化があり得ないとしても、醜いものはひそかに忍び出て、昼間は完全に意識することの出来ないような薄暗い場所にむらがる漠然とした考えのうちに影をひそめてしまった。

こうして、ジョヴァンニはその一夜を過ごしたのである。彼はラッパチーニの庭を夢みて、あかつきがその庭に眠っている花をよび醒ますまでは、安らかに眠ることができなかった。

時が来ると日は昇って、青年のまぶたにその光りを投げた。彼は苦しそうに眼をさました。まったく醒めたとき、彼は右の手に火傷をしたような、ちくちくした痛みを感じた。それは彼が宝石のような花を一つ取ろうとした刹那に、ベアトリーチェに握られたその手であった。手の裏には、四本の指の痕のような紫の痕があって、拳の上には細い拇指の痕らしいものもあった。

愛はいかに強きことよ。――たといそれが想像のうちにのみ栄えて、心の奥底までは揺り動かさないような、うわべばかりの贋いものであったとしても――薄い霞のように消えてゆく最後の瞬間までも、いかに強くその信念を持続することよ。ジョヴァンニは自分の手にハンカチーフを巻いて、どんな禍いが起こって来るかと憂いたが、ベアトリーチェのことを思うと、彼はすぐにその痛みを忘れてしまったのである。

第一の会合の後、第二の会合は実に運命ともいうべき避けがたいものであった。それが第三回、第四回とたびかさなるにつれて、庭園におけるベアトリーチェとの会合は、もはやジョヴァンニの日常生活における偶然の出来事ではなくなって、その生活の全部であった。彼がひとりでいる時は、嬉しい逢う瀬の予想と回想とにふけっていた。

ラッパチーニの娘もやはりそれと同じことであった。彼女は青年の姿のあらわれるのを待ちかねて、そのそばへ飛んで行った。彼女は彼が赤ん坊時代からの親しい友達で、今でもそうであるかのように、なんの遠慮もなしに大胆に振舞った。もし何かの場合で、まれに約束の時間までに彼が来ないときは、彼女は窓の下に立って、室内にいる彼の心に反響するような甘い調子で呼びかけた。

「ジョヴァンニ……。ジョヴァンニ……。何をぐずぐずしているの。降りていらっしゃいよ」

それを聞くと、彼は急いで飛び出して、毒のあるエデンの花園に降りて来るのであった。

これほどの親しい間柄であるにもかかわらず、ベアトリーチェの態度には、なお打ち解けがたい点があった。彼女はいつも行儀のいい態度をとっているので、それを破ろうという考えが男の想像のうちには起きないほどであった。すべての外面上の事柄から観察すると、かれらは確かに相愛の仲であった。かれらは路ばたでささやくには、あまりに神聖であるかのように、たがいの秘密を心から心へと眼で運んだ。かれらの心が永く秘められていた火焔の舌のように、言葉となってあらわれ出るときには、情熱の燃ゆるがままに恋を語ることさえもあった。それでも接吻や握手や、または恋愛が要求し神聖視するところの軽い抱擁さえも試みたことはなかった。彼は彼女の輝いたちぢれ毛のひと筋にも、手をふれたことはなかった。彼の前で彼女の着物は微風に動かされることさえもなかった。それほどにかれらの間には、肉体的の障壁がいちじるしかった。

まれに男がこの限界を超えるような誘惑を受けるように思われた時には、ベアトリーチェは非常に悲しそうな、また非常に厳格な態度になって、身を顫わせて遠く離れるような様子を見せた。そうして、彼を近づけないために、なんにも口をきかないほどであった。こんな時には、彼は心の底から湧き出て来て、じっと彼の顔を眺めている、不気味な恐ろしい疑惑の念におどろかされるので、その恋愛は朝の靄のように薄れていって、その疑惑のみがあとに残った。しかも瞬間の暗い影のあとに、ベアトリーチェの顔がふたたび輝いた時には、彼がそれほどの恐怖をもって眺めた不思議な人物とはすっかり変わっていた。彼が知っている限りでは、彼女は確かに美しい初心な乙女であった。

ジョヴァンニが曩にバグリオーニ教授に逢ってからは、かなりに時日が過ぎた。ある朝、彼は思いがけなく、この教授の訪問を受けて不快に思った。彼はこの数週間、教授のことなどを思い出してもみなかったのみならず、いっそいつまでも忘れていたかった。彼は長く打ちつづく刺戟に疲れてはいたが、自分の現在の感激状態に心から同情してくれる人でなければ逢いたくなかった。しかしこんな同情は、バグリオーニ教授に期待することは出来なかった。教授はしばらくの間、市中のことや大学のことなどについて噂ばなしをしたのちに、ほかの話題に移って行った。

「僕は、この頃、ある古典的な著者のものを読んでいるが、その中で非常に興味のある物語を見つけたのだ」と、彼は言った。「君もあるいは思い出すかもしれないが、それはあるインドの皇子の話だ。彼はアレキサンダー大帝に一人の美女を贈った。彼女はあかつきのように愛らしく、夕暮れのように美しかったが、非常に他人と異っているのは、その息がペルシャの薔薇の花園よりもなお芳しい、一種の馥郁たる香気を帯びていることであった。アレキサンダーは、若い征服者によくありがちなことであるが、この美しい異国の女をひと目見るとたちまちに恋におちてしまった。しかも偶然その場に居合わせたある賢い医者が彼女に関する恐ろしい秘密を見破ったのだ」

「それはどういうことだったのですか」と、ジョヴァンニは教授の眼を避けるように、伏目がちに訊いた。

　バグリオーニは言葉を強めて語りつづけた。

「この美しい女は、生まれ落ちるときから毒薬で育てられて来たのだ。そこで、彼女の本質には毒が沁み込んで、そのからだは最もはなはだしい有毒物となった。つまり、毒薬が彼女の生命の要素になってしまったのだ。その毒素の匂いを彼女は空中に吹き出すのであるから、彼女の愛は毒薬であった――彼女の抱擁は死であった。まあこういうことだが、なんと君、実に不思議なおどろくべき物語ではないか」

「子供だましのような話ではありませんか」と、ジョヴァンニはいらいらしたように椅子から起ちあがって言った。「尊敬すべきあなたが、もっとまじめな研究もありましょうに、そんなばかばかしい物語をお望みになるひまがあるとは、おどろきましたね」

「時に君、この部屋には何か不思議な匂いがするね」と、教授は不安そうにあたりを見まわしながら言った。「君の手套の匂いかね。幽かながらもいい匂いだ。しかし、けっして心持ちのいい匂いではないね。こんな匂いに長くひたっていると、僕などは気分が悪くなる。花の匂いのようでもあるが、この部屋には花はないね」

　教授の話を聴きながら、ジョヴァンニは蒼くなって答えた。

「いいえ、そんな匂いなどはしません。それはあなたの心の迷いです。匂いというものは、感覚的なものと精神的なものとを一緒にした一種の要素ですから、時どき、こういうふうにわれわれは欺(だま)されやすいのです。ある匂いのことを思い出すと、まったくそこにないものでも実際あるように思い誤まりやすいものですからね」

　バグリオーニは言った。

「そうだ。しかし僕の想像は確実だから、そんな悪戯(いたずら)をすることはめったにない。もし僕が何かの匂いを思いうかべるとしても、僕の指にしみ込んでいる売薬の悪い匂いだろうよ。噂によると畏友ラッパチーニは、アラビヤの薬よりも更にいい匂いをもって、薬に味をつけるそうだ。美しい博学のベアトリーチェも、きっと父と同様に、乙女(おとめ)の息のようないい匂いのする薬を、患者にあたえることだろう。それを飲む者こそ災難だ」

　ジョヴァンニの顔には、いろいろな感情の争いをかくすことが出来なかった。教授が、清く優しいラッパチーニの娘を指して言った言葉の調子が、彼の心に忌(いや)な感じをあたえた。しかも、自分とはまるで反対の見方をしている教授の暗示が、あたかも百千の鬼が歯をむき出して彼を笑っているような、暗い疑惑を誘い出したのである。彼は努めてその疑いをおさえながら、ほんとうに恋人を信ずるの心をもって、バグリオーニに答えた。

「教授。あなたは父の友人でした。それですから、たぶんその息子にも友情をもって接しようというおつもりなのでしょう。わたしはあなたに対して心から敬服しているのです。

しかしわれわれには、口にしてはならない話題があるということを、どうか考えていただきたいのです。あなたはベアトリーチェをご存じではありません。それがために間違ったご推測をなすっては困ります。彼女の性格に対して、軽慮な失礼な言葉をお用いになるのは、彼女を冒瀆（ぼうとく）するというものです」

「ジョヴァンニ。憐れむべきジョヴァンニ」と、教授は冷静な憐愍（れんびん）の表情を浮かべながら答えた。「僕はこの可憐（かれん）な娘のことについて、君よりも、ずっとよく知っている。これから君にむかって、毒殺者ラッパチーニと、その有毒の娘とに関する事実を話して聞かせよう。そうだ、有毒者ではあるが、彼女は美しいには美しいね。まあ、聴きたまえ。たとい君が腹を立てて、僕の白髪（しらが）を乱暴にかきむしっても、僕はけっして黙らない。そのインドの女に関する昔の物語は、ラッパチーニの深い恐ろしい学術によって、美しいベアトリーチェのからだに真実となってあらわれたのだ」

ジョヴァンニはうめき声を立てて彼の顔をおおうと、バグリオーニは続けて言った。

「彼女の父はこの学術に対して、狂的というほどに熱心のあまり、わが子をその犠牲とするに躊躇しなかったのだ。公平にいえば、彼は蒸溜器をもって彼自身の心を蒸発してしまったかと思われるほど、学術には忠実な人間であるのだ。そこで、君の運命はどうなるかという問題であるが……疑いもなく、君はある新しい実験の材料として選ばれたのだ。おそらくその結果は死であろう。いや、もっと恐ろしい運命かもしれない。ラッパチーニは自分の眼の前に、学術上の興味を惹くものがあれば、いかなるものでもちっとも躊躇しないのだ」

「それは夢だ。たしかに夢だ」と、ジョヴァンニは小さい声でつぶやいた。

教授は続けて言った。

「けれども、君、楽観したまえ。まだ今のうちならば助かるのだ。たぶんわれわれは彼女が父の狂熱によって失われている普通の性質を、悲惨なる娘のために取り戻してやれると思うのだ。この小さな銀の花瓶を見たまえ。これは有名なベンヴェヌート・チェリーニの手に成ったもので、イタリーで最も美しい婦人に愛の贈り物としても恥かしくないものだ。殊にこの中にはいっているのはまたとない尊いもので、この解毒剤を一滴でも飲めば、どんな劇薬でも無害になるのだ。ラッパチーニの毒薬に対しても、十分の効力あることは疑いない。この尊い薬を入れた花瓶を、君のベアトリーチェに贈りたまえ。そうして、確実の希望をもってその結果を待ちたまえ」

バグリオーニは精巧な細工をほどこした小さい銀の花瓶を、テーブルの上に置いて出て行った。彼は自分の言ったことが青年の心の上にいい効果をあたえることを望んだ。

「まだ今のうちならば、ラッパチーニをさえぎることが出来るだろう」と、彼は階段を降りながら、独りでほくそえんだ。「彼について本当のことを白状すれば、彼はおどろくべき男だ――実に不思議な男だ。しかしその実行の方法を見ると、つまらない藪医者だ。古来の医者のよい法則を尊ぶわれわれには我慢のならないことだ」

四

ジョヴァンニがベアトリーチェと交際している間、前にも言ったように、彼はときどきに彼女の性格について暗い疑いの影がさした。それでも彼はどこまでも彼女を純な自然な、最も愛情に富んだ、偽りのない女性であると思っていたので、今かのバグリオーニ教授の主張するがごときものの姿は、彼自身の本来の考えとは一致せず、はなはだ不思議な、信じ難いもののように思われた。

実際この美しい娘を初めて見たときには、忌わしい思い出があった。彼女がさわるとたちまちに凋れた花束のことや、彼女の息の匂いのほかにはなんら明らかな媒介物もなしに、日光のかがやく空気のうちで死んでいった昆虫のことや、それらは今でもまったく忘れることは出来なかったが、こういう出来事は彼女の性格の清らかな光りのうちに溶けこんで、もはや、事実としての効力を失い、いかなる感情が事実を証明しようとしても、かえってそれを誤まれる妄想と認めるようになっていた。

世の中にはわれわれが眼で見、指でふれるものよりも、さらに真実で、さらに実際的なものがある。そういう都合のいい論拠のもとに、ジョヴァンニはベアトリーチェを信頼した。それは彼の深い莫大な信念からというよりも、むしろ彼女の高潔なる特性による必然的の力に由来しているのであったが、今や彼の精神は、これまで情熱に心酔して登りつめていた高所に踏みとどまることを許さなくなった。彼はひざまずいて世俗的な疑惑の前に降状し、それがためにベアトリーチェに対する純潔な心象をけがした。彼女を見限ったというのではないが、彼は信じられなくなったのである。

　彼は一度それを試みれば、すべてにおいて彼を満足させるような、ある断乎たる試験を始めようと決心した。それは、ある怪異な魂なくしてはほとんど存在するとは思われないような恐ろしい特性が、はたして彼女の体質のうちにひそんでいるかどうかということを試験することであった。遠方から眺めているのならば、蜥蜴（とかげ）や、昆虫や、花について、彼の眼は彼をあざむいたかも知れない。しかも、もしベアトリーチェがわずか二、三歩を離れたところに、新しい生きいきとした花を手にして現われたのを見たとすれば、もはやその上に疑いをいれる余地（よち）はなくなるであろう。こう考えたので、彼は急いで花屋へ行って、まだ朝露のかがやいている花束を一つ買った。

　今は彼が毎日ベアトリーチェに逢う定刻であった。庭に降りてゆく前に、彼は自分の姿を鏡にうつして見ることを忘れなかった。——それは美しい青年にありがちな虚栄心からでもあり、かつは情熱の燃ゆる瞬間にあらわれる一種の浅薄な感情と、虚偽な性格との表象とも言うべきであった。彼は鏡をじっと眺めた。彼の容貌に、こんなにも豊かな美しさは、今までにけっして見られなかった。その眼にも今までこんな快活の光りはなかった。その頰にも今までこんな旺盛な生命の色が燃えていなかった。

「少なくとも彼女の毒は、まだおれの身体には流れ込んでいないのだ。おれは花ではないのだから、彼女に握られても死ぬようなことはないのだ」と、彼は思った。

彼はさっきから手に持っていた花束に眼をそそいだ。そうして、その露にぬれた花がもう萎(しお)れかかっているのを見たとき、なんとも言われない恐怖の戦慄が彼の全身をめぐった。その花は、ついきのうまでは生きいきとして美しい姿を見せていたのである。

ジョヴァンニは色を失って、大理石のように白くなった。かれは鏡の前に突っ立って、何か怖ろしいものの姿でも見るように、彼自身の影をながめた。彼は部屋じゅうにみなぎっているように思われる匂いについて、バグリオーニ教授の言ったことを思い出した。自分の呼吸には、毒気が含まれているに違いない。彼は身を慄(ふる)わした。——自分のからだを見て顫(ふる)えた。

やがて我れにかえって、彼は物珍らしそうに一匹の蜘蛛(くも)を眺め始めた。蜘蛛はその部屋の古風な蛇腹から行きつ戻りつして、巧みに糸を織りまぜながら、いそがしそうに巣を作っていた。それは古い天井からいつもぶらりと下がるほどに強い活潑な蜘蛛であった。ジョヴァンニはその昆虫に近寄って、深い長い息を吹きかけると、蜘蛛は急にその仕事をやめた。その巣は、この小さい職人のからだに起こっている戦慄のためにふるえた。ジョヴァンニは更にいっそう深く、いっそう長い息を吹きかけた。彼は心から湧いて来る毒どくしい感情に満たされた。彼は悪意でそんなことをしているのか、単に自棄でそんなことをしているのか、自分にも分からなかった。蜘蛛はその脚を苦しそうに痙攣させた後、窓の先に死んでぶら下がった。

「呪われたか。おまえの息ひとつでこの昆虫が死ぬほどに、おまえは有毒になったのか」

と、ジョヴァンニは小声で自分に言った。

その瞬間に、庭の方から豊かな優しい声がきこえてきた。

「ジョヴァンニ……。ジョヴァンニ……。もう約束の時間が過ぎているではありませんか。何をぐずぐずしているのです。早く降りていらっしゃい」

ジョヴァンニは再びつぶやいた。

「そうだ。おれの息で殺されない生き物はあの女だけだ。いっそ殺すことが出来ればいいのに……」

彼は駈け降りて、直ぐにベアトリーチェの輝かしい優しい眼の前に立った。

彼は憤怒と失望に熱狂して、ひと睨みで彼女を萎縮させてやろうと思いつめていたのであるが、さて彼女の実際の姿に接すると、すぐに振り切ってしまうにはあまりに強い魅力があった。彼はしばしば彼を宗教的冷静に導いたところの、彼女の美妙な慈悲ぶかい力を思い出した。純粋な清い泉がその底から透明の姿を、彼の心眼に明らかにうつし出したとき、彼女の胸から神聖な熱情のほとばしり出たことを思い出した。彼はすべてのこの醜い秘密は、世俗的の錯覚に過ぎないことを考えた。いかなる悪霧が彼女の周囲に立ちこめているように思われても、実際のベアトリーチェは神聖な天使であることを考えた。彼はもちろん、それほどまでに信じ切ることは出来なかったが、それでも彼女の姿は彼に対して、まるでその魅力を失うことはなかった。

ジョヴァンニの憤怒はやや鎮まったが、不機嫌な冷淡な態度はおおわれなかった。ベアトリーチェは敏速な霊感で、彼と自分との間には越えることの出来ない暗い溝が横たわっていることを早くも覚った。二人は悲しそうに黙って、一緒に歩いた。大理石の噴水のほとりまで来ると、その中央には宝石のような花をつけた灌木が生えていた。ジョヴァンニはあたかも食欲をそそられるように、一生懸命にその花の匂いを吸って喜んで、自分ながらそれに気がついて驚いた。

「ベアトリーチェ。この灌木はどこから持って来たのですか」と、彼は突然に訊いた。

「父が初めて作りました」と、彼女は簡単に答えた。

「初めて作った……。作り出したのですか……」と、ジョヴァンニは繰りかえして言った。「ベアトリーチェ。それはいったいどういうことですか」

ベアトリーチェは答えた。

「父は恐ろしいほどに自然の秘密に通じた人でした。わたくしが初めてこの世界に生まれ出たと同じ時間に、この木が土の中から芽を出して来たのです。わたくしはただ世間並の子供ですが、この木は父の学問、父の知識の子供です。その木にお近づきになってはいけません」

ジョヴァンニがその灌木にだんだん近づいて行くのを見て、彼女ははらはらするように言いつづけた。

「その木は、あなたがほとんど夢にも考えていないような、性質を持っています。わたくしはその木と一緒に育って、その呼吸(いき)で養われて来たのです。その木とわたくしとは、姉妹(きょうだい)であったのです。わたくしは人間を愛すると同じように、その木を愛して来ました。……まあ、あなたは、それをお疑いになりませんでしたか。……そこには恐ろしい運命があったのです」

このとき、ジョヴァンニは彼女を見て、非常に暗い渋面を作ったので、ベアトリーチェは吐息をついてふるえたが、男の優しい心を信じているので、彼女は更に気を取り直した。そうして、たとい一瞬間でも彼を疑ったことを恥かしく思った。

「そこには恐ろしい運命があったのです」と、彼女はまた言った。「父が、恐ろしいほどに学問を愛した結果、人間のあらゆる運命からわたくしを引き離してしまったのです。それでも神様はとうとうあなたをよこして下さいました。わたくしの大事の大事のジョヴァンニ……。あわれなベアトリーチェは、それまでどんなに寂しかったでしょう」

「それが苦しい運命だったのですか」と、ジョヴァンニは彼女を凝視めながら訊いた。

「ほんの近ごろになって、どんなに苦しい運命であるかを知りました。ええ、今までわたくしの心は感覚を失っていましたので、別になんとも思わなかったのです」

「ちくしょう!」と、彼は毒どくしい侮蔑と憤怒とに燃えながら叫んだ。「おまえは、自分の孤独にたえかねて、僕も同じようにすべての温かい人生から引き離して、口でも言えないような怖ろしい世界に引き込もうとしたのだな」

「ジョヴァンニ……」

ベアトリーチェはその大きい輝いた眼を男の顔に向けて言った。彼の言葉の力は相手の心に達するまでにはいたらないで、彼女はただ雷にでも撃たれたように感じたばかりであった。

ジョヴァンニは、もう我れを忘れて、怒りに任せて罵った。

「そうだ、そうだ。毒婦！　おまえが、それをしたのだ。おまえはおれを呪い倒したのだ。おれの血管を毒薬で満たしたのも、おまえの仕業だ。おまえはおれを自分と同じような、憎むべき厭うべき死人同然な醜い人間にしてしまったのだ。世にも不思議な、いまわしい怪物にしてしまったのだ。さあ、幸いにわれわれの呼吸が他のものに対すると同じように、われわれの命にも関わるものならば、限りない憎悪の接吻を一度こころみて、たがいに死んでしまおうではないか」

「何がわたくしの身にふりかかって来たというのでしょう、聖マリア！　どうぞわたくしをあわれとおぼしめしてください。……この哀れな失恋の子を……」

ベアトリーチェは、その心から湧き出る低いうめき声で言った。

「おまえは……。おまえは祈っているのだね」と、ジョヴァンニはまだ同じような悪魔的の侮蔑をもって叫んだ。「おまえのくちびるから出て来るその祈りは、空気を〈死〉でけがしてしまうのだ。そうだ、そうだ、一緒に祈ろう。一緒に教会へ行って、入り口の聖水に指をひたそう。おれたちのあとから来た者は、みんなその毒のために死んでしまうだろう。空中に十字を切る真似をしよう。そうすると、神聖なシンボルの真似をして、外部に呪詛（じゅそ）をまき散らすことになるだろうよ」

「ジョヴァンニ……」

ベアトリーチェは静かに言った。彼女は悲しみのあまりに、怒ることさえも出来なかったのである。

「あなたはなぜそんな恐ろしい言葉のうちに、わたくしと一緒に自分自身までも引き入れようとなさるのです。なるほど、わたくしはあなたのおっしゃる通りの恐ろしい人間です。しかし、あなたは何でもないではありませんか。この花園から出て、あなたと同じような人間に立ちまじわるのを見て、ほかの人たちが身ぶるいする、わたくしのような者は問題になさいますな。あわれなベアトリーチェのような怪物（モンスター）が、かつては地の上に這っていたということを、どうぞ忘れてしまって下さい」

「おまえは、なんにも知らない振りをしようとするのか」と、ジョヴァンニは眉をひそめながら彼女を見た。「これを見ろ。この力はまぎれもないラッパチーニの娘から得たのだぞ」

そこには夏虫のひと群れが、命にかかわる花園の花の香にひきつけられて、食物を求めながら、空中を飛びまわって、ジョヴァンニの頭のまわりに集まった。しばらくのあいだ幾株の灌木の林に惹（ひ）き付けられていたのと同じ力によって、彼の方へ惹きつけられていることが、明らかであった。彼はかれらの間へ息を吹きかけた。そうして、少なくとも二十匹の昆虫が、地上に倒れて死んだときに、彼はベアトリーチェを見かえって、苦にがしげにほほえんだ。

ベアトリーチェは叫んだ。

「分かりました、分かりました。それは父の恐ろしい学問です。いいえ、いいえ、ジョヴァンニ……。それはわたくしではなかったのです。けっして、わたくしではありません。わたくしはあなたを愛するあまり、ほんのちっとのあいだ、あなたと一緒にいたいと思っただけです。そうして、ただあなたのお姿を、わたくしの心に残してお別れ申そうと思っていたのです。ジョヴァンニ……。どうぞわたくしを信じてください。たといわたくしのからだは、毒薬で養われていても、心は神様に作られたもので、日にちの糧として愛を熱望していたのです。けれども、わたくしの父は……父は、学問に対する同情、その恐ろしい同情で、わたくしたちを結びつけてしまったのです。ええもう、どうぞわたくしを蹴とばして下さい、踏みにじって下さい、殺してください。あなたにそんなことを言われては、死ぬことくらいはなんでもありません。けれども……けれども、そんなことをしたのはわたくしではなかったのです。幸福な世界のために、わたくしがそんなことをするものですか」

ジョヴァンニはその憤怒をくちびるから爆発するがままに任せておいたので、今はもう疲れて鎮まっていた。彼の心のうちには、ベアトリーチェと彼自身とのあいだの密接な、かつ特殊な関係について、悲しい柔らかい感情が湧いてきた。いわば、かれらはまったく孤独の状態に置かれたようなもので、人間がたくさん集まれば集まるほど、ますます孤独となるであろう。もしそうならば、かれらの周囲の人間の沙漠は、この孤立の二人を更にいっそう密接に結合すべきではなかろうか。自分が普通の性質に立ちかえって、ベアトリーチェの手を引いて導くだけの望みがまだ残ってはいないだろうかと、ジョヴァンニは考えるようになった。

しかも、ベアトリーチェの深刻なる恋が、ジョヴァンニの激しい悪口によってこれほどに悲しくそこなわれたのちに、この世の結合、この世の幸福があり得るように考えるのは、なんという強い、また我儘な卑しい心であろう。いや、こんな望みは、しょせん考えられないことである。彼女は恋に破れたる心をいだいて、現世の境いを苦しく越えなければならない。彼女はその心の痛手を楽園の泉にひたし、または不滅の光りに照らさせて、その悲しみを忘れなければならないのである。

しかし、ジョヴァンニはそれに気がつかなかった。

「愛するベアトリーチェ……」

彼女がいつものように近づくことを恐れたにもかかわらず、彼は今や異常なる衝動をもって、彼女に近づいた。

「わたしが最愛のベアトリーチェ。われわれの運命はまだそんなに絶望的なものではありません。ごらんなさい。これは偉い医者から証明された妙薬です。その効能の顕著なことは、実に神のようだということです。これはあなたの恐ろしいお父さんが、あなたとわたしの身の上にこの禍いをもたらしたものとは、まったく反対の要素から出来ているのです。それは神聖な草から蒸溜して取ったものです。どうです、一緒にこの薬をぐっと嚥んで、おたがいに禍いを浄めようではありませんか」

「それをわたしに下さい」

ベアトリーチェは男が胸から取り出した小さい銀の花瓶を受け取ろうとして、手を伸ばしながら言った。それから、特に力を入れて付け加えた。

「わたくしが嚥みましょう。けれども、あなたはその結果を待って下さい」

彼女はバグリオーニの解毒剤をその唇にあてると、その瞬間にラッパチーニの姿が入り口から現われて、大理石の噴水の方へそろそろと歩いて来た。近づくにしたがって、この蒼ざめた科学者はいかにも勝ち誇ったような態度で、美しい青年と処女とを眺めているように思われた。それはあたかも一つの絵画、または一群の彫像を仕上げるために、全生涯を捧げた芸術家がついに成功して、大いに満足したというような姿であった。

彼はちょっと立ち停まって、かがんだからだを態(わざ)とぐっと伸ばした。彼はその子供らのために、幸福を祈っている父親のような態度で、かれらの上に両手をひろげたが、それはかれらの生命の流れに毒薬をそそいだ、その手であった。ジョヴァンニはふるえた。ベアトリーチェは神経的に身をふるわした。彼女は片手で胸をおさえた。

ラッパチーニは言った。

「ベアトリーチェ。おまえはもうこの世の中に、独りぽっちでいなくともいいのだ。おまえの妹分のその灌木から貴い宝の花を一つ取って、おまえの花婿の胸につけるように言ってやれ。それはもう彼にも有害にはならないのだ。わたしの学問の力と、おまえたちふたりへの同情とによって、わたしの誇りと勝利の娘であるおまえと同じように、あの男のからだの組織を変えて、今ではほかの男とは違ったものにしてしまったのだ。それであるから、ほかのすべての者には恐れられても、おたがい同士は安全だ。これから仲よくして世界じゅうを通るがいい」

「お父さま。なぜあなたはこんな悲惨な運命をわたくしたちにお与えになったのですか」ベアトリーチェは弱よわしい声で言った。——彼女は静かに話したが、その手はまだその胸をおさえていた。

「悲惨だと……」と、父は叫んだ。「いったいおまえはどういうつもりなのだ。馬鹿な娘だな。おまえは自分に反対すれば、いかなる力も敵を利することが出来ないような、天賦の能力をあたえられたのを、悲惨だと思うのか。最も力の強い者をも、ひと息で打ち破ることが出来るのを、悲惨だというのか。おまえは美しいと同様に、怖ろしいものであることを悲惨だというのか。それならば、おまえはすべての悪事を暴露されても、どうすることも出来えないような、弱い女の境遇のほうが、むしろ優しだと思うのか」

娘は地上にひざまずいて、小声で言った。

「わたくしは恐れられるよりも、愛されとうございました。しかし今となっては、そんなことはもうどうでもようございます。お父さま。わたくしはもう……。あなたがわたくしのからだに織り込もうとなすった禍いが夢のように、……この毒のある花の匂いのように、失くなってしまうところへ参ります。エデンの園の花のなかには、わたくしの呼吸に毒を沁みさせるような花はないでしょう。では、さようなら、ジョヴァンニ……。あなたの憎しみの言葉は、鉛のようにわたくしの心のうちに残っています。それもわたくしが天国へ昇ってしまえば、みんな忘れられるでしょう。おお、あなたの体質には、わたくしの体質のうちにあったよりも、もっとたくさんの毒が最初から含まれていたのではありますまいか」

彼女の現世の姿は、ラッパチーニの優れた手腕によって、非常に合理的に作られていたので、毒薬が彼女の生命であったと同じように、効能のいちじるしい解毒剤は彼女にとって「死」であった。

こうして、人間の発明と、それにさからう性質の犠牲となり、かくのごとく誤用された知識の努力に伴う運命の犠牲となって、あわれなるベアトリーチェは、父とジョヴァンニの足もとに仆れた。

あたかもそのとき、ピエトロ・バグリオーニ教授は窓から覗いて、勝利と恐怖とを混じたような調子で叫んだ。彼は雷に撃たれたように驚いている科学者にむかって、大きい声で呼びかけたのである。

「ラッパチーニ……。ラッパチーニ……。これが君の実験の終局か」

解題

木村毅

明治の文壇、逍遙のシェークスピア、鷗外のハルトマン、二葉亭のツルゲエネフ、魯庵のトルストイと、みな看板をかかげ、掛け声をさかんにして、移入し消化しているのである。

綺堂先生はその反対に、いかにあちらの作の影響をうけ、これを換骨脱胎しても、黙々としておられるので、誰れも気づかない。それほど天衣無縫に日本化されてしまっているとも云える。

しかし、たとえば有名な「半七捕物帳」をとってみても、それまで捕物帳という読み物も、独立した文学も日本にない。コナンドイルの The Case-book of Sherlock Holmes から暗示をうけて案出されたこと疑いを入れぬ。シァロック・ホームズが半七に、ケース・ブックが捕物帳となったのである。但し中の話は自分の創作もあれば、和洋はもちろん支那から印度に取材した話まで入っている。

果然、捕物帳は大衆文学の一角にブームをおこし、今でもあちこちのテレビで最高視聴率をあげているのをみると、綺堂先生の文勲も偉大にして恒久なりといわねばならぬ。

その先生が一生に一度だけ、珍らしく生まのままで、西洋ダネの読み物を提供せられたのが、この「世界怪談名作集」である。もと改造社の「世界大衆文学全集」の一冊として昭和四年八月に刊行をみた。

じつはこの全集は私が改造社長・山本実彦氏に献策し、この書の訳者として綺堂先生をすすめたのも私である。若い翻訳者にまじって、先生のような鬱然たる大家が御承諾くださるかと思ったが、先生は青年文人に伍して仕事することに興味をもち、欣然として一議におよばず御快諾になった。

いよいよ仕事にかかる前、門生の額田六福君（私の小学時代からの郷友）をともなうて丸善にゆかれたそうだ。いずれ、巻中におさめるのにどんな作がいいか、その道の店員にたずねられるのだろうと額田君がおもって見ていたら、そうでなく「何という作家の何という小説は、どの創作集にはいっているか。何某の何作は、どの叢書で得られるか」という風に、一度読んで頭のなかにあるのを、どんな本で得たらいいかと尋ねられただけなので、今さらのように額田君が先生の博読に感歎していた。

私がイギリス留学中、たしかファヌーという作家の Werewolf（人狼）という小説がすごいので、これを日本化して翻案してみたまえといって額田君におくると「天正何とか絵巻」という小説に書き直して発表した。

僕（木村）が種子アカシをしない限り、翻案だとわかるまいと自信満々でいたところ、綺堂先生は一読してすぐ、

「Werewolf をつかったね。じつは世界怪談名作集を訳した時、あれもぜひ入れたいと思ったが、原作者の名をわすれてしまって、あのとき丸善でたずねようがなかったので思いとまったのだ」

と図星をさされ、額田君がカブトをぬいで私に話したことがある。

私はこんど、これを読み直してみて、その老巧円熟の訳筆に、あらためて三歎した。片カナの固有名詞がなかったら、まるで先生の自作の文章をよむのと、ちっとも変らない。

そして原作の選択が、じつにいい。大体はこんな怪奇小説をあつめた選集が、向うでも出ているのだが、それらを幾つか渉猟しても、ホーソーンの「ラッパチーニの娘」など収録した選集はみたことがない。

私は、ラフカディオ・ヘルンが東京帝国大学でした「アメリカ文学史」の講義のホーソーンの条下で激賞しているので、初めてこの作あるを知って、苦労した末にやっとさがしあてて読んだ。ゴォチェのクラリモンドも有名なものだが、諸家の選集にはあんまり入っ

ていない。

もひとつ思い出したが、先生はハンガリヤ生れのオルツィ男爵夫人のものを入れる腹案があり、「オークジイ夫人」と発音されていたと、この原稿をとりにいった浜本浩が云っていた。いまや先生も、額田君も、改造社長も、浜本も、この著に関係したものみんな故人となり、私ひとりながらえてこの解題をかくのは、まことに感無量である。

木村毅（一八九四―一九七九）＝広い視野、該博な知識を活かし、小説・評論に健筆をふるった。『ラグーザお玉』『西園寺公望』などのユニークな創作と共に、『日米文学交流史の研究』に大成された外国文学研究、『明治文学展望』『明治文学を語る』などの明治文化・文学研究に多面的・先駆的な業績を残す。

右の「解題」は本書が『岡本綺堂読物選集8　翻訳編　下巻』（青蛙房　一九七〇）として復刊された際に寄せられたものを再録した。

本書は一九八七年に河出文庫として刊行され、その後二〇〇二年に新装版として刊行された『世界怪談名作集 上』を、改題・新装版として復刊したものです。

作品中、今日では差別的表現と思われる語句が一部にございますが、発表当時の時代性を鑑み、そのままとしました。